El Santísim

MW00638647

Este ejemplar de la Edición Conmemorativa fue
donado por:

_____

En Memoria de:

_____

Que residía en:

_____

Por favor rece por el descanso de su alma.

Gracias y que Dios lo bendiga.

¿Qué son ejemplares de la Edición Conmemorativa?

Las Ediciones Conmemorativas de <u>El Santísimo Rosario</u>, son ejemplares que le brindan la oportunidad de escribir en el nombre de un familiar, amigo o extraño que ha fallecido, al mismo tiempo que le piden al lector que ore por el descanso del alma de su familiar o amigo.

Los ejemplares de la Edición Conmemorativa de precio regular están a la venta en los sitios web de Amazon en los Estados Unidos, el Reino Unido, Alemania, Francia, Italia y España.

Sin embargo, queremos que las personas recen el Rosario, y las animamos a rezar por las almas de los difuntos, especialmente por nuestros seres queridos.

Por lo tanto, estamos ofreciendo libros de bajo costo disponibles para usted.

Los ejemplares con descuento de las Ediciones Conmemorativas están disponibles en Great Point Publishing por un menor costo por libro, al mismo tiempo que se pueden solicitar varios ejemplares a la vez.

Para ordenar ejemplares con descuento, por favor visite:

greatpointpublishing.com/rosary

Esperamos que disfrute de la oportunidad de regalar un ejemplar de este libro a un amigo o familiar, o dejarlo en una iglesia como regalo para que cualquiera se lo lleve.

Juntos promovamos el Rosario.

Juntos cambiemos el mundo.

Gracias.

El Santísimo Rosario

Rece el Rosario fácilmente, cualquier día de la semana

By: Christopher Hallenbeck

Great Point Publishing

Gloversville, NY

El Santísimo Rosario
Rece el Rosario fácilmente, cualquier día de la semana
By: Christopher Hallenbeck

Diseño de portada por: Gareth Bobowski

Diseño del libro por: Christopher Hallenbeck

Foto de portada Photo 72731134 © Tang Man | Dreamstime.com

Foto de la contraportada Photo 4454297 © William Perry Dreamstime.com

Traducido del inglés al español por:
"claudiaguevaram" on fiverr.com

Para solicitar ejemplares adicionales de este título, póngase en contacto con su librería local favorita o visite www.greatpointpublishing.com

Rústica ISBN: 978-1-955334-00-6

Publicado por: **Great Point Publishing, LLC.
Gloversville, NY**

Dedicación:

Hay dos organizaciones en la Iglesia del Espíritu Santo en Gloversville, NY, en las que he tenido la suerte de experimentar la membresía activa. A cambio, han traído muchas experiencias y bendiciones increíbles a mi vida, así como muchas nuevas amistades, tanto a nivel local como nacional.

Dicho esto, me gustaría dedicar este libro a todos los que son miembros de los Caballeros de Colón, y también a los que siguen manteniendo la fe, y velan por asistir a la Adoración del Santísimo Sacramento.

Gracias a todos los que conozco localmente a través de mi participación en los Caballeros de Colón y en la Capilla de Adoración Eucarística Perpetua, y gracias también, a cualquiera que lea esto que ayude a crear estas mismas oportunidades y experiencias en sus ciudades y parroquias.

TABLA DE CONTENIDOS

Introducción   1

Las 15 promesas de María a los cristianos que rezan el Rosario   2

El Santísimo Rosario   4

      Domingo – Los Misterios Gloriosos   5

      Lunes – Los Misterios Gozosos   22

      Martes – Los Misterios Dolorosos   39

      Miercoles – Los Misterios Gloriosos   56

      Jueves – Los Misterios Luminosos   73

      Viernes – Los Misterios Dolorosos   90

      Sabado – Los Misterios Gozosos   107

Una inspiradora historia sobre la Novena del Rosario de   124
Gloversville, NY

Sobre del autor   142

Agradecimientos y Reconocimientos   142

Una pequeña petición, por favor lea...   142

Notas finales   142

Introducción

Este libro fue escrito para ayudarle a rezar el Santo Rosario fácilmente. Si apenas está descubriendo el Rosario, entonces este libro será una introducción simple pero informativa y le ayudará a aprender a rezarlo.

Si usted es un devoto del Rosario con experiencia y prefiere rezar los misterios en los días en que tradicionalmente se les asocia, este libro será un recurso que le ayudará en su rutina diaria de oración, además de ser una herramienta útil que podrá utilizar cuando introduzca el Rosario a nuevos públicos.

A continuación, veamos algunas de las formas en que este libro puede ayudar a los amigos del Rosario, tanto nuevos como experimentados. Aquí hay un breve resumen de los puntos más destacados de este libro y cómo pueden ayudarle:

- Las 15 promesas de María a los cristianos que rezan el Rosario se incluyen en las dos páginas siguientes, como inspiración y recordatorio de las razones para rezar el Rosario.

- Este libro incluye las oraciones de los Misterios del Rosario para los 7 días de la semana, así que puedes rezarlos cualquier día.

- Para cada conjunto de Misterios del Rosario, también se incluye una guía gráfica paso a paso de cómo rezar el Rosario.

- Incluimos también para usted, las oraciones diarias correspondientes a los cinco Misterios del Rosario. Cada una de dichas oraciones es acompañada por una imagen específica que le ayudará a aprender y recordar todos los Misterios con mayor facilidad.

- Al final del libro hay una hermosa historia de la Novena del Rosario que espero disfrute leer y le resulte inspiradora.

En conclusión, gracias por rezar el Rosario, y finalmente...

"Juntos, promovamos el Rosario. Juntos, cambiemos el mundo."

-Christopher Hallenbeck
Gloversville, NY
4 de octubre de 2020

LAS 15 PROMESAS DE MARÍA A LOS CRISTIANOS QUE REZAN EL ROSARIO

Hechas por la Santísima Virgen a Santo Domingo y al Beato Alano.

1. A todos los que rezan con devoción mi Rosario, les prometo mi protección especial y mis muy grandes gracias.

2. Aquellos que perseveren en el rezo de mi Rosario recibirán alguna señal de gracia.

3. El Rosario será una armadura muy poderosa contra el infierno; destruirá el vicio, librará del pecado y disipará la herejía.

4. El Rosario hará florecer las virtudes y las buenas obras, y obtendrá para las almas las más abundantes misericordias divinas; sustituirá en el corazón el amor de Dios por el amor al mundo, y las elevará al deseo de bienes celestiales y eternos. ¡Oh, que las almas se santifiquen por este medio!

5. "Los que confían en mí a través del Rosario, no perecerán".

6. Aquellos que rezan piadosamente mi Rosario, teniendo en cuenta sus Misterios, no se verán abrumados por la desgracia ni tendrán una mala muerte. El pecador se convertirá; el justo crecerá en gracia y será digno de la vida eterna.

7. Los verdaderos devotos de mi Rosario no morirán sin los consuelos de la Iglesia, ni sin gracia.

8. Los que rezan mi Rosario encontrarán en su vida y en su muerte la luz de Dios, la plenitud de su gracia, y participarán de los méritos de los bienaventurados.

9. Yo entregaré muy pronto desde el purgatorio las almas devotas a mi Rosario.

10. Los verdaderos hijos de mi Rosario gozarán de gran gloria en el cielo.

11. *Lo que pida a través de mi Rosario, lo obtendrá.*

12. Los que propaguen mi Rosario obtendrán a través de mí, ayuda para todas sus necesidades.

13. He obtenido de mi Hijo que todos los hermanos del Rosario tengan para sus hermanos en la vida y en la muerte a los santos del Cielo.

14. Los que rezan fielmente mi Rosario son todos mis queridos hijos, los hermanos y hermanas de Jesucristo.

15. La devoción a mi Rosario es un signo especial de predestinación.

El Santísimo Rosario

Domingo

Foto cortesía de: Esther Gefroh

LOS MISTERIOS GLORIOSOS

CÓMO REZAR EL ROSARIO

La imagen de la página siguiente, y los pasos de abajo le mostrarán cómo rezar el Rosario y los pasos en un juego de cuentas de rosario*. Estos pasos son sólo un resumen. Se presentan en orden y con más detalle para cada uno de los 54 días que siguen en la Novena del Rosario a Nuestra Señora. Las oraciones individuales también están escritas para usted en las páginas siguientes para la Novena del Rosario a Nuestra Señora.

Nota: La imagen del rosario que muestra estos pasos en las cuentas del rosario fue usada con permiso de la Fundación del Rosario en www.erosary.com

PASOS PARA REZAR EL ROSARIO

1. Haga la Señal de Cruz y rece el Credo del Apóstol.

2. Rece un Padre Nuestro.

3. Rece tres Ave María.

4. Recé un Gloria a Dios.

5. Recé una Oración de Fátima.

6. Anuncie el Primer Misterio y rece un Padre Nuestro.

7. Rece diez Ave María consecutivas; medite el Primer Misterio mientras reza.

8. Rece un Gloria a Dios.

9. Rece una Oración de Fátima.

10. Repita los pasos 7, 8 y 9 para el Segundo, Tercer, Cuarto y Quinto Misterio del Rosario.

11. Rece un Salve.

12. Haga la Señal de la Cruz

How to PRAY THE ROSARY

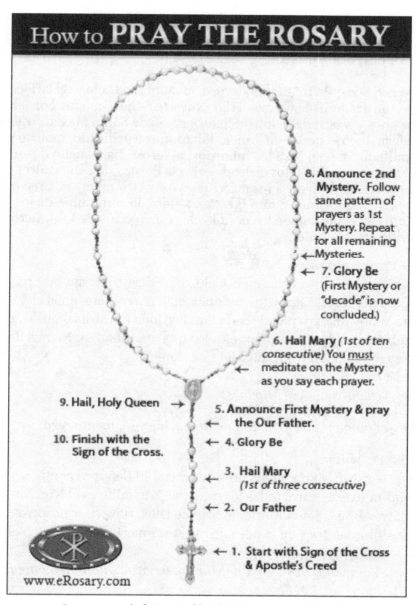

8. Announce 2nd Mystery. Follow same pattern of prayers as 1st Mystery. Repeat for all remaining Mysteries.

← 7. Glory Be (First Mystery or "decade" is now concluded.)

6. Hail Mary (1st of ten consecutive) You must meditate on the Mystery as you say each prayer.

9. Hail, Holy Queen →

5. Announce First Mystery & pray the Our Father.

10. Finish with the Sign of the Cross.

← 4. Glory Be

3. Hail Mary (1st of three consecutive)

← 2. Our Father

← 1. Start with Sign of the Cross & Apostle's Creed

www.eRosary.com

Imagen cortesía de Dan Rudden de la Fundación del Rosario.

El Santísimo Rosario

El Credo del Apóstol

Creo en Dios, Padre todopoderoso, creador del Cielo y de la Tierra.
Creo en Jesucristo su único Hijo, Nuestro Señor, que fue concebido
por obra y gracia del Espíritu Santo; nació de Santa María Virgen;
padeció bajo el poder de Poncio Pilato; fue crucificado, muerto y
sepultado; descendió a los infiernos; al tercer día resucitó de entre
los muertos; subió a los cielos y está a la diestra de Dios Padre;
desde allí ha de venir a juzgar a los vivos y a los muertos. Creo en el
Espíritu Santo, en la Santa Iglesia Católica, la comunión de los
Santos en el perdon de los pecados la resurrección de los muertos y
la vida eterna. Amen.

(1) Padre Nuestro
Padre nuestro, que estás en el cielo. Santificado sea tu nombre.
Venga tu reino. Hágase tu voluntad en la tierra como en el cielo.
Danos hoy nuestro pan de cada día. Perdona nuestras ofensas, como
también nosotros perdonamos a los que nos ofenden. No nos dejes
caer en tentación y líbranos del mal. Amen.

Las 3 cuentas de Ave María

Por un aumento de la virtud de la fe... humildemente rezo:

(1) Ave María
Dios te salve, María. Llena eres de gracia: El Señor es contigo.
Bendita tú eres entre todas las mujeres. Y bendito es el fruto de tu
vientre: Jesús. Santa María, Madre de Dios, ruega por nosotros
pecadores, ahora y en la hora de nuestra muerte. Amen.

Por un aumento de la virtud de la esperanza... humildemente rezo:

(1) Ave María
Dios te salve, María. Llena eres de gracia: El Señor es contigo.
Bendita tú eres entre todas las mujeres. Y bendito es el fruto de tu
vientre: Jesús. Santa María, Madre de Dios, ruega por nosotros
pecadores, ahora y en la hora de nuestra muerte. Amen.

Por un aumento de la virtud de la caridad... humildemente rezo:

(1) Ave María
Dios te salve, María. Llena eres de gracia: El Señor es contigo. Bendita tú eres entre todas las mujeres. Y bendito es el fruto de tu vientre: Jesús. Santa María, Madre de Dios, ruega por nosotros pecadores, ahora y en la hora de nuestra muerte. Amen.

(1) Gloria a Dios
Gloria al Padre, al Hijo y al Espíritu Santo. Como era en el principio, ahora y siempre, por los siglos de los siglos. Amen.

(1) Oh, Jesús mío
Oh mi Jesús, perdónanos nuestros pecados, líbranos del fuego del infierno, lleva todas las almas al cielo, especialmente las mas necesitadas de tu misericordia. Amen.

LA RESURRECCIÓN

Oh gloriosa Madre María, meditando en el Misterio de la Resurrección de Nuestro Señor de entre los Muertos, que leemos en Mateo 28: 1-10; Marcos 16: 1-18; Lucas 24: 1-49; y Juan 20:1-29, cuando en la mañana del tercer día después de su muerte y sepultura, Jesús se levantó de entre los muertos y se te apareció a ti, Santísima Madre, y llenó tu corazón de indecible gozo; luego se le apareció a las santas mujeres, y a sus discípulos, quienes lo adoraron como a su Dios resucitado.

Meditando en el Misterio de la Resurrección de Nuestro Señor de entre los Muertos y orando por un aumento en la virtud de la Fe, humildemente rezo...

(1) Padre Nuestro

Padre nuestro, que estás en el cielo. Santificado sea tu nombre. Venga tu reino. Hágase tu voluntad en la tierra como en el cielo. Danos hoy nuestro pan de cada día. Perdona nuestras ofensas, como también nosotros perdonamos a los que nos ofenden. No nos dejes caer en tentación y líbranos del mal. Amen.

(10) Ave María

Dios te salve, María. Llena eres de gracia: El Señor es contigo. Bendita tú eres entre todas las mujeres. Y bendito es el fruto de tu vientre: Jesús. Santa María, Madre de Dios, ruega por nosotros pecadores, ahora y en la hora de nuestra muerte. Amen.

(1) Gloria a Dios

Gloria al Padre, al Hijo y al Espíritu Santo. Como era en el principio, ahora y siempre, por los siglos de los siglos. Amen.

(1) Oh, Jesús mío:

Oh mi Jesús, perdónanos nuestros pecados, líbranos del fuego del infierno, lleva todas las almas al cielo, especialmente las mas necesitadas de tu misericordia. Amen.

Ato estas rosas en flor a una petición por la virtud

FE

y humildemente pongo este ramo a tus pies.

LA ASCENSIÓN

O gloriosa Madre Maria, Meditando en el misterio de la ascensión, de la cual leemos en Marcos 16:19-20: Lucas 24:50-51: y Actos 1:6-11, cuando tu Divino Hijo, después de 40 días en la tierra, fue al Monte Olivet acompañado por sus discípulos y usted, donde todos lo adoraron por última vez, el prometio permanecer con ellos hasta el final del mundo, después extendió sus manos perforadas sobre todos en bendición mientras ascendía ante sus ojos al cielo.

Meditando en el misterio de la ascensión de nuestro señor y orando por un incremento en la virtud de esperanza rezo humildemente...

(1) Padre Nuestro

Padre nuestro, que estás en el cielo. Santificado sea tu nombre. Venga tu reino. Hágase tu voluntad en la tierra como en el cielo. Danos hoy nuestro pan de cada día. Perdona nuestras ofensas, como también nosotros perdonamos a los que nos ofenden. No nos dejes caer en tentación y líbranos del mal. Amen.

(10) Ave María

Dios te salve, María. Llena eres de gracia: El Señor es contigo. Bendita tú eres entre todas las mujeres. Y bendito es el fruto de tu vientre: Jesús. Santa María, Madre de Dios, ruega por nosotros pecadores, ahora y en la hora de nuestra muerte. Amen.

(1) Gloria a Dios

Gloria al Padre, al Hijo y al Espíritu Santo. Como era en el principio, ahora y siempre, por los siglos de los siglos. Amen.

(1) Oh, Jesús mío:

Oh mi Jesús, perdónanos nuestros pecados, líbranos del fuego del infierno, lleva todas las almas al cielo, especialmente las mas necesitadas de tu misericordia. Amen.

Ato estas rosas en flor a una petición por la virtud de

ESPERANZA

y humildemente pongo este ramo a tus pies.

LA VENIDA DEL ESPÍRITU SANTO

Oh gloriosa Madre María, meditando en el Misterio de la Venida del Espíritu Santo, que leemos en Hechos 2:1-41 Cuando los apóstoles se reunieron contigo en una casa en Jerusalén, el Espíritu Santo descendió sobre ellos en forma de lenguas ardientes, inflamando los corazones de los apóstoles con el fuego del amor divino, enseñándoles todas las verdades, dándoles el don de lenguas, y, llenándolos de la plenitud de su gracia, te inspirándote a orar por los apóstoles y los primeros cristianos.

Meditando en el Misterio de la Venida del Espíritu Santo de Nuestro Señor y rezando por un aumento de la virtud de la Caridad... humildemente rezo...

(1) Padre Nuestro

Padre nuestro, que estás en el cielo. Santificado sea tu nombre. Venga tu reino. Hágase tu voluntad en la tierra como en el cielo. Danos hoy nuestro pan de cada día. Perdona nuestras ofensas, como también nosotros perdonamos a los que nos ofenden. No nos dejes caer en tentación y líbranos del mal. Amen.

(10) Ave María

Dios te salve, María. Llena eres de gracia: El Señor es contigo. Bendita tú eres entre todas las mujeres. Y bendito es el fruto de tu vientre: Jesús. Santa María, Madre de Dios, ruega por nosotros pecadores, ahora y en la hora de nuestra muerte. Amen.

(1) Gloria a Dios

Gloria al Padre, al Hijo y al Espíritu Santo. Como era en el principio, ahora y siempre, por los siglos de los siglos. Amen.

(1) Oh, Jesús mío:

Oh mi Jesús, perdónanos nuestros pecados, líbranos del fuego del infierno, lleva todas las almas al cielo, especialmente las mas necesitadas de tu misericordia. Amen.

Ato estas rosas en flor a una petición por la virtud

CARIDAD

y humildemente pongo este ramo a tus pies.

LA ASUNCIÓN DE MARÍA AL CIELO

Oh gloriosa Madre María, meditando en el Misterio de tu Asunción al Cielo, cuando te consumía el deseo de unirte con tu divino Hijo en el cielo, tu alma se apartó de tu cuerpo y se unió a Aquel que, por el amor excesivo que llevó por ti, su Madre, cuyo cuerpo virginal fue su primer tabernáculo, llevó ese cuerpo al cielo y allí, en medio de las aclamaciones de los ángeles y de los santos, volvió a infundir en él su alma. La meditación del Misterio de la Asunción de Nuestra Santísima Madre al Cielo, que está implícito en el libro de Apocalipsis 12:1, se enseña en El Catecismo de la Iglesia Católica cuando la Asunción se define en las Secciones 966 y 974, y por último La Asunción es parte de la Tradición Católica...

Meditando en el Misterio de la Asunción de Nuestra Santísima Madre al Cielo y orando por un aumento en la virtud de la Unión con Cristo... humildemente rezo...

(1) Padre Nuestro

Padre nuestro, que estás en el cielo. Santificado sea tu nombre. Venga tu reino. Hágase tu voluntad en la tierra como en el cielo. Danos hoy nuestro pan de cada día. Perdona nuestras ofensas, como también nosotros perdonamos a los que nos ofenden. No nos dejes caer en tentación y líbranos del mal. Amen.

(10) Ave María

Dios te salve, María. Llena eres de gracia: El Señor es contigo. Bendita tú eres entre todas las mujeres. Y bendito es el fruto de tu vientre: Jesús. Santa María, Madre de Dios, ruega por nosotros pecadores, ahora y en la hora de nuestra muerte. Amen.

(1) Gloria a Dios

Gloria al Padre, al Hijo y al Espíritu Santo. Como era en el principio, ahora y siempre, por los siglos de los siglos. Amen.

(1) Oh, Jesús mío:

Oh mi Jesús, perdónanos nuestros pecados, líbranos del fuego del infierno, lleva todas las almas al cielo, especialmente las mas necesitadas de tu misericordia. Amen.

Ato estas rosas en flor a una petición por la virtud

UNIÓN CON CRISTO

y humildemente pongo este ramo a tus pies.

LA CORONACIÓN DE MARÍA SANTÍSIMA COMO REINA DEL CIELO

Oh gloriosa Madre María, meditando sobre el Misterio de Tu Coronación en el Cielo que está implícito en el libro de Apocalipsis 12:1, y que también se celebra anualmente el 22 de agosto cuando los católicos celebran la fiesta de la Reina de María. Oh Reina del Santo Rosario, cuando al ser llevada al Cielo después de tu muerte, fuiste triplemente coronada como la augusta Reina del Cielo. Primero por Dios Padre como Su amada Hija, luego por Dios Hijo como Su Madre más querida, y finalmente por Dios Espíritu Santo como Su casta Esposa, la más perfecta adoradora de la Santísima Trinidad, abogando por nuestra causa como nuestra Madre más poderosa y misericordiosa.

Meditando en el Misterio de La Coronación de Nuestra Santísima Madre en el Cielo como su Reina, y orando por un aumento en la virtud de la Unión Contigo, humildemente rezo...

(1) Padre Nuestro

Padre nuestro, que estás en el cielo. Santificado sea tu nombre. Venga tu reino. Hágase tu voluntad en la tierra como en el cielo. Danos hoy nuestro pan de cada día. Perdona nuestras ofensas, como también nosotros perdonamos a los que nos ofenden. No nos dejes caer en tentación y líbranos del mal. Amen.

(10) Ave María

Dios te salve, María. Llena eres de gracia: El Señor es contigo. Bendita tú eres entre todas las mujeres. Y bendito es el fruto de tu vientre: Jesús. Santa María, Madre de Dios, ruega por nosotros pecadores, ahora y en la hora de nuestra muerte. Amen.

(1) Gloria a Dios

Gloria al Padre, al Hijo y al Espíritu Santo. Como era en el principio, ahora y siempre, por los siglos de los siglos. Amen.

(1) Oh, Jesús mío:

Oh mi Jesús, perdónanos nuestros pecados, líbranos del fuego del infierno, lleva todas las almas al cielo, especialmente las mas necesitadas de tu misericordia. Amen.

Ato estas rosas en flor a una petición por la virtud

UNIÓN CONTIGO

y humildemente pongo este ramo a tus pies.

COMUNIÓN ESPIRITUAL

MI JESÚS, realmente presente en el Santísimo Sacramento del Altar, ya que ahora no puedo recibirte bajo el velo sacramental, te suplico, con un corazón lleno de amor y anhelo, que vengas espiritualmente a mi alma a través del inmaculado corazón de tu Santísima Madre, y permanezcas conmigo para siempre; Tú en mí, y yo en Ti, en el tiempo y en la eternidad, en María. Amén.

Salve Santa Reina
Dios te salve, Reina y Madre de misericordia, vida, dulzura y esperanza nuestra, Dios te salve. A ti clamamos los desterrados hijos de Eva. A ti suspiramos gimiendo y llorando en este valle de lágrimas. Ea, pues, Señora, abogada nuestra: vuelve a nosotros esos tus ojos misericordiosos. Y después de este destierro, muéstranos a Jesús, fruto bendito de tu vientre. Oh clemente, oh piadosa, oh dulce Virgen María. Ruega por nosotros, Santa Madre de Dios, para que seamos dignos de las promesas de Cristo. Amen.

RECEMOS
¡Oh Dios! Cuyo Hijo unigénito, por su vida, muerte y resurrección, nos ha comprado la recompensa de la vida eterna; concédenos que, meditando estos misterios del Santísimo Rosario de la Santísima Virgen María, imitemos lo que contienen y obtengamos lo que prometen. Por el mismo Cristo nuestro Señor. Amén.

Que la asistencia divina permanezca siempre con nosotros. Amén. Y que las almas de los fieles difuntos, por la misericordia de Dios, descansen en paz. Amén. Virgen Santa, con tu Hijo amado, tu bendición nos da este día (*noche*).

Memorare

Acordaos, oh piadosísima Virgen María!, que jamás se ha oído decir que ninguno de los que han acudido a vuestra protección, implorando tu auxilio, haya sido desamparado. Animado por esta confianza, a Vos acudo, Madre, Virgen de la vírgenes, y gimiendo bajo el peso de mis pecados me atrevo a comparecer ante Vos. Madre de Dios, no desechéis mis súplicas, antes bien, escuchadlas y acogedlas benignamente. Amén.

Oración de San Miguel

O San Miguel, Arcangel defiéndenos en la batalla. Se nuestra proteccion contra el mal y las trampas del Diablo; humildemente te rogamos que Dios los reprenda. O Principe Celestial de la Santa Hostia, que con la ayuda de Dios eches a Satanas al infierno y a los espiritus que vagan por el mundo para arruinar las almas. Amén.

Señal de la Cruz

En el nombre del Padre, del Hijo y del Espíritu Santo, Amén.

LUNES

Los Misterios Gozosos

CÓMO REZAR EL ROSARIO

La imagen de la página siguiente, y los pasos de abajo le mostrarán cómo rezar el Rosario y los pasos en un juego de cuentas de rosario*. Estos pasos son sólo un resumen. Se presentan en orden y con más detalle para cada uno de los 54 días que siguen en la Novena del Rosario a Nuestra Señora. Las oraciones individuales también están escritas para usted en las páginas siguientes para la Novena del Rosario a Nuestra Señora.

Nota: La imagen del rosario que muestra estos pasos en las cuentas del rosario fue usada con permiso de la Fundación del Rosario en www.erosary.com

PASOS PARA REZAR EL ROSARIO

1. Haga la Señal de Cruz y rece el Credo del Apóstol.

2. Rece un Padre Nuestro.

3. Rece tres Ave María.

4. Recé un Gloria a Dios.

5. Recé una Oración de Fátima.

6. Anuncie el Primer Misterio y rece un Padre Nuestro.

7. Rece diez Ave María consecutivas; medite el Primer Misterio mientras reza.

8. Rece un Gloria a Dios.

9. Rece una Oración de Fátima.

10. Repita los pasos 7, 8 y 9 para el Segundo, Tercer, Cuarto y Quinto Misterio del Rosario.

11. Rece un Salve.

12. Haga la Señal de la Cruz

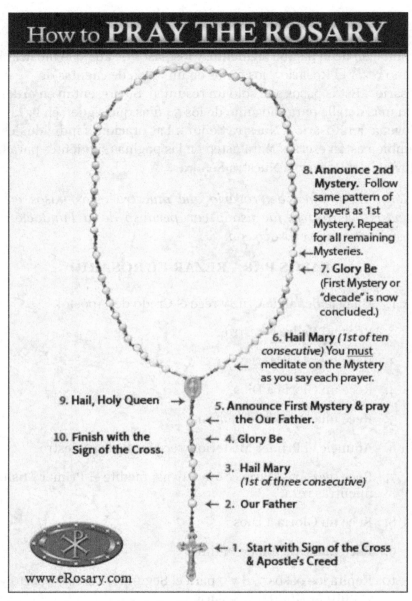

How to PRAY THE ROSARY

8. **Announce 2nd Mystery.** Follow same pattern of prayers as 1st Mystery. Repeat for all remaining Mysteries.

7. **Glory Be** (First Mystery or "decade" is now concluded.)

6. **Hail Mary** (*1st of ten consecutive*) You <u>must</u> meditate on the Mystery as you say each prayer.

9. **Hail, Holy Queen**

5. **Announce First Mystery & pray the Our Father.**

10. **Finish with the Sign of the Cross.**

4. **Glory Be**

3. **Hail Mary** (*1st of three consecutive*)

2. **Our Father**

1. **Start with Sign of the Cross & Apostle's Creed**

www.eRosary.com

Imagen cortesía de Dan Rudden de la Fundación del Rosario.

El Santísimo Rosario

El Credo del Apóstol

Creo en Dios, Padre todopoderoso, creador del Cielo y de la Tierra. Creo en Jesucristo su único Hijo, Nuestro Señor, que fue concebido por obra y gracia del Espíritu Santo; nació de Santa María Virgen; padeció bajo el poder de Poncio Pilato; fue crucificado, muerto y sepultado; descendió a los infiernos; al tercer día resucitó de entre los muertos; subió a los cielos y está a la diestra de Dios Padre; desde allí ha de venir a juzgar a los vivos y a los muertos. Creo en el Espíritu Santo, en la Santa Iglesia Católica, la comunión de los Santos en el perdon de los pecados la resurrección de los muertos y la vida eterna. Amen.

(1) Padre Nuestro

Padre nuestro, que estás en el cielo. Santificado sea tu nombre. Venga tu reino. Hágase tu voluntad en la tierra como en el cielo. Danos hoy nuestro pan de cada día. Perdona nuestras ofensas, como también nosotros perdonamos a los que nos ofenden. No nos dejes caer en tentación y líbranos del mal. Amen.

Las 3 cuentas de Ave María

Por un aumento de la virtud de la fe... humildemente rezo:

(1) Ave María

Dios te salve, María. Llena eres de gracia: El Señor es contigo. Bendita tú eres entre todas las mujeres. Y bendito es el fruto de tu vientre: Jesús. Santa María, Madre de Dios, ruega por nosotros pecadores, ahora y en la hora de nuestra muerte. Amen.

Por un aumento de la virtud de la esperanza... humildemente rezo:

(1) Ave María

Dios te salve, María. Llena eres de gracia: El Señor es contigo. Bendita tú eres entre todas las mujeres. Y bendito es el fruto de tu vientre: Jesús. Santa María, Madre de Dios, ruega por nosotros pecadores, ahora y en la hora de nuestra muerte. Amen.

Por un aumento de la virtud de la caridad... humildemente rezo:

(1) Ave María
Dios te salve, María. Llena eres de gracia: El Señor es contigo. Bendita tú eres entre todas las mujeres. Y bendito es el fruto de tu vientre: Jesús. Santa María, Madre de Dios, ruega por nosotros pecadores, ahora y en la hora de nuestra muerte. Amen.

(1) Gloria a Dios
Gloria al Padre, al Hijo y al Espíritu Santo. Como era en el principio, ahora y siempre, por los siglos de los siglos. Amen.

(1) Oh, Jesús mío
Oh mi Jesús, perdónanos nuestros pecados, líbranos del fuego del infierno, lleva todas las almas al cielo, especialmente las mas necesitadas de tu misericordia. Amen.

LA ANUNCIACIÓN

Dulce Madre María, meditando sobre el Misterio de la Anunciación, del cual leemos en Lucas 1:26-38 y Juan 1:14. Cuando el ángel Gabriel se te apareció con la noticia de que ibas a ser la Madre de Dios, te saludó con ese saludo sublime: "¡Salve, llena de gracia! ¡El Señor está contigo!", y te sometiste humildemente a la voluntad del Padre, respondiendo: "He aquí la esclava del Señor. Hágase en mí según tu palabra."

Meditando en el Misterio de la Anunciación y rezando por un aumento de la virtud de la humildad, humildemente rezo...

(1) Padre Nuestro

Padre nuestro, que estás en el cielo. Santificado sea tu nombre. Venga tu reino. Hágase tu voluntad en la tierra como en el cielo. Danos hoy nuestro pan de cada día. Perdona nuestras ofensas, como también nosotros perdonamos a los que nos ofenden. No nos dejes caer en tentación y líbranos del mal. Amen.

(10) Ave María

Dios te salve, María. Llena eres de gracia: El Señor es contigo. Bendita tú eres entre todas las mujeres. Y bendito es el fruto de tu vientre: Jesús. Santa María, Madre de Dios, ruega por nosotros pecadores, ahora y en la hora de nuestra muerte. Amen.

(1) Gloria a Dios

Gloria al Padre, al Hijo y al Espíritu Santo. Como era en el principio, ahora y siempre, por los siglos de los siglos. Amen.

(1) Oh, Jesús mío:

Oh mi Jesús, perdónanos nuestros pecados, líbranos del fuego del infierno, lleva todas las almas al cielo, especialmente las mas necesitadas de tu misericordia. Amen.

Ato estos brotes blancos como la nieve a una petición por la virtud

HUMILDAD

y humildemente pongo este ramo a tus pies.

LA VISITACIÓN

Dulce Madre María, meditando sobre el Misterio de la Visitación, del cual leemos en Lucas 1:39-56. Cuando, en tu visita a tu santa prima Isabel, te saludó con la profecía: "¡Bendita tú eres entre todas las mujeres, y bendito es el fruto de tu vientre!" Y tú respondiste con ese cántico de cánticos, el Magnificat.

Meditando en el Misterio de la Visitación y rezando por el aumento de la virtud de la caridad, humildemente rezo...

(1) Padre Nuestro

Padre nuestro, que estás en el cielo. Santificado sea tu nombre. Venga tu reino. Hágase tu voluntad en la tierra como en el cielo. Danos hoy nuestro pan de cada día. Perdona nuestras ofensas, como también nosotros perdonamos a los que nos ofenden. No nos dejes caer en tentación y líbranos del mal. Amen.

(10) Ave María

Dios te salve, María. Llena eres de gracia: El Señor es contigo. Bendita tú eres entre todas las mujeres. Y bendito es el fruto de tu vientre: Jesús. Santa María, Madre de Dios, ruega por nosotros pecadores, ahora y en la hora de nuestra muerte. Amen.

(1) Gloria a Dios

Gloria al Padre, al Hijo y al Espíritu Santo. Como era en el principio, ahora y siempre, por los siglos de los siglos. Amen.

(1) Oh, Jesús mío:

Oh mi Jesús, perdónanos nuestros pecados, líbranos del fuego del infierno, lleva todas las almas al cielo, especialmente las mas necesitadas de tu misericordia. Amen.

Ato estos brotes blancos como la nieve a una petición por la virtud

CARIDAD

y humildemente pongo este ramo a tus pies.

LA NATIVIDAD

Dulce Madre María, meditando sobre el Misterio de la Natividad de Nuestro Señor, del cual leemos en Mateo 1:18-25. Cuando se cumplió tu tiempo, engendraste, oh santa Virgen, al Redentor del mundo en un establo en Belén. Y los coros de ángeles llenaron los cielos con su exultante canto de alabanza: "Gloria a Dios en las alturas, y en la tierra paz a los hombres de buena voluntad"

Meditando en el Misterio de la Natividad y rezando por un aumento de la virtud del desprendimiento del mundo, humildemente rezo...

(1) Padre Nuestro

Padre nuestro, que estás en el cielo. Santificado sea tu nombre. Venga tu reino. Hágase tu voluntad en la tierra como en el cielo. Danos hoy nuestro pan de cada día. Perdona nuestras ofensas, como también nosotros perdonamos a los que nos ofenden. No nos dejes caer en tentación y líbranos del mal. Amen.

(10) Ave María

Dios te salve, María. Llena eres de gracia: El Señor es contigo. Bendita tú eres entre todas las mujeres. Y bendito es el fruto de tu vientre: Jesús. Santa María, Madre de Dios, ruega por nosotros pecadores, ahora y en la hora de nuestra muerte. Amen.

(1) Gloria a Dios

Gloria al Padre, al Hijo y al Espíritu Santo. Como era en el principio, ahora y siempre, por los siglos de los siglos. Amen.

(1) Oh, Jesús mío:

Oh mi Jesús, perdónanos nuestros pecados, líbranos del fuego del infierno, lleva todas las almas al cielo, especialmente las mas necesitadas de tu misericordia. Amen.

Ato estos brotes blancos como la nieve a una petición por la virtud

DESPRENDIMIENTO DEL MUNDO

y humildemente pongo este ramo a tus pies.

EL CUARTO MISTERIO GOZOSO

LA PRESENTACIÓN

Dulce Madre María, meditando en el Misterio de la Presentación, del cual leemos en Lucas 2:22-39; cuando, en obediencia a la Ley de Moisés, presentaste a tu Hijo en el Templo, donde el santo profeta Simeón, tomando al Niño en sus brazos, ofreció gracias a Dios por salvarlo para que mirara a su Salvador y predijo tus sufrimientos con las palabras: "Tu alma también será traspasada por una espada..."

Meditando el Misterio de la Presentación del Señor, y orando por el aumento de la virtud de la pureza, humildemente rezo...

(1) Padre Nuestro

Padre nuestro, que estás en el cielo. Santificado sea tu nombre. Venga tu reino. Hágase tu voluntad en la tierra como en el cielo. Danos hoy nuestro pan de cada día. Perdona nuestras ofensas, como también nosotros perdonamos a los que nos ofenden. No nos dejes caer en tentación y líbranos del mal. Amen.

(10) Ave María

Dios te salve, María. Llena eres de gracia: El Señor es contigo. Bendita tú eres entre todas las mujeres. Y bendito es el fruto de tu vientre: Jesús. Santa María, Madre de Dios, ruega por nosotros pecadores, ahora y en la hora de nuestra muerte. Amen.

(1) Gloria a Dios

Gloria al Padre, al Hijo y al Espíritu Santo. Como era en el principio, ahora y siempre, por los siglos de los siglos. Amen.

(1) Oh, Jesús mío:

Oh mi Jesús, perdónanos nuestros pecados, líbranos del fuego del infierno, lleva todas las almas al cielo, especialmente las mas necesitadas de tu misericordia. Amen.

Ato estos brotes blancos como la nieve a una petición por la virtud

PUREZA

y humildemente pongo este ramo a tus pies.

EL QUINTO MISTERIO GOZOSO

EL HALLAZGO DEL NIÑO JESÚS EN EL TEMPLO

Dulce Madre María, meditando sobre el Misterio del Hallazgo del Niño Jesús en el Templo, del cual leemos en Lucas 2:41-51. Cuando, después de haberle buscado durante tres días, afligido, tu corazón se alegró al encontrarlo en el Templo hablando con los doctores. Y cuando, a petición tuya, volvió obedientemente a casa contigo.

Meditando en el misterio del Hallazgo del niño Jesús en el Templo, y orando por un aumento de la virtud de la obediencia a la voluntad de Dios, humildemente rezo...

(1) Padre Nuestro

Padre nuestro, que estás en el cielo. Santificado sea tu nombre. Venga tu reino. Hágase tu voluntad en la tierra como en el cielo. Danos hoy nuestro pan de cada día. Perdona nuestras ofensas, como también nosotros perdonamos a los que nos ofenden. No nos dejes caer en tentación y líbranos del mal. Amen.

(10) Ave María

Dios te salve, María. Llena eres de gracia: El Señor es contigo. Bendita tú eres entre todas las mujeres. Y bendito es el fruto de tu vientre: Jesús. Santa María, Madre de Dios, ruega por nosotros pecadores, ahora y en la hora de nuestra muerte. Amen.

(1) Gloria a Dios

Gloria al Padre, al Hijo y al Espíritu Santo. Como era en el principio, ahora y siempre, por los siglos de los siglos. Amen.

(1) Oh, Jesús mío:

Oh mi Jesús, perdónanos nuestros pecados, líbranos del fuego del infierno, lleva todas las almas al cielo, especialmente las mas necesitadas de tu misericordia. Amen.

Ato estos brotes blancos como la nieve a una petición por la virtud

OBEDIENCIA A LA VOLUNTAD DE DIOS

y humildemente pongo este ramo a tus pies.

COMUNIÓN ESPIRITUAL

MI JESÚS, realmente presente en el Santísimo Sacramento del Altar, ya que ahora no puedo recibirte bajo el velo sacramental, te suplico, con un corazón lleno de amor y anhelo, que vengas espiritualmente a mi alma a través del inmaculado corazón de tu Santísima Madre, y permanezcas conmigo para siempre; Tú en mí, y yo en Ti, en el tiempo y en la eternidad, en María. Amén.

Salve Santa Reina

Dios te salve, Reina y Madre de misericordia, vida, dulzura y esperanza nuestra, Dios te salve. A ti clamamos los desterrados hijos de Eva. A ti suspiramos gimiendo y llorando en este valle de lágrimas. Ea, pues, Señora, abogada nuestra: vuelve a nosotros esos tus ojos misericordiosos. Y después de este destierro, muéstranos a Jesús, fruto bendito de tu vientre. Oh clemente, oh piadosa, oh dulce Virgen María. Ruega por nosotros, Santa Madre de Dios, para que seamos dignos de las promesas de Cristo. Amen.

RECEMOS

¡Oh Dios! Cuyo Hijo unigénito, por su vida, muerte y resurrección, nos ha comprado la recompensa de la vida eterna; concédenos que, meditando estos misterios del Santísimo Rosario de la Santísima Virgen María, imitemos lo que contienen y obtengamos lo que prometen. Por el mismo Cristo nuestro Señor. Amén.

Que la asistencia divina permanezca siempre con nosotros. Amén. Y que las almas de los fieles difuntos, por la misericordia de Dios, descansen en paz. Amén. Virgen Santa, con tu Hijo amado, tu bendición nos da este día (*noche*).

Memorare

Acordaos, oh piadosísima Virgen María!, que jamás se ha oído decir que ninguno de los que han acudido a vuestra protección, implorando tu auxilio, haya sido desamparado. Animado por esta confianza, a Vos acudo, Madre, Virgen de la vírgenes, y gimiendo bajo el peso de mis pecados me atrevo a comparecer ante Vos. Madre de Dios, no desechéis mis súplicas, antes bien, escuchadlas y acogedlas benignamente. Amén.

Oración de San Miguel

O San Miguel, Arcangel defiéndenos en la batalla. Se nuestra proteccion contra el mal y las trampas del Diablo; humildemente te rogamos que Dios los reprenda. O Principe Celestial de la Santa Hostia, que con la ayuda de Dios eches a Satanas al infierno y a los espiritus que vagan por el mundo para arruinar las almas. Amén.

Señal de la Cruz

En el nombre del Padre, del Hijo y del Espíritu Santo, Amén.

MARTES

LOS MISTERIOS
DOLOROSOS

CÓMO REZAR EL ROSARIO

La imagen de la página siguiente, y los pasos de abajo le mostrarán cómo rezar el Rosario y los pasos en un juego de cuentas de rosario*. Estos pasos son sólo un resumen. Se presentan en orden y con más detalle para cada uno de los 54 días que siguen en la Novena del Rosario a Nuestra Señora. Las oraciones individuales también están escritas para usted en las páginas siguientes para la Novena del Rosario a Nuestra Señora.

Nota: La imagen del rosario que muestra estos pasos en las cuentas del rosario fue usada con permiso de la Fundación del Rosario en www.erosary.com

PASOS PARA REZAR EL ROSARIO

1. Haga la Señal de Cruz y rece el Credo del Apóstol.

2. Rece un Padre Nuestro.

3. Rece tres Ave María.

4. Recé un Gloria a Dios.

5. Recé una Oración de Fátima.

6. Anuncie el Primer Misterio y rece un Padre Nuestro.

7. Rece diez Ave María consecutivas; medite el Primer Misterio mientras reza.

8. Rece un Gloria a Dios.

9. Rece una Oración de Fátima.

10. Repita los pasos 7, 8 y 9 para el Segundo, Tercer, Cuarto y Quinto Misterio del Rosario.

11. Rece un Salve.

12. Haga la Señal de la Cruz

How to PRAY THE ROSARY

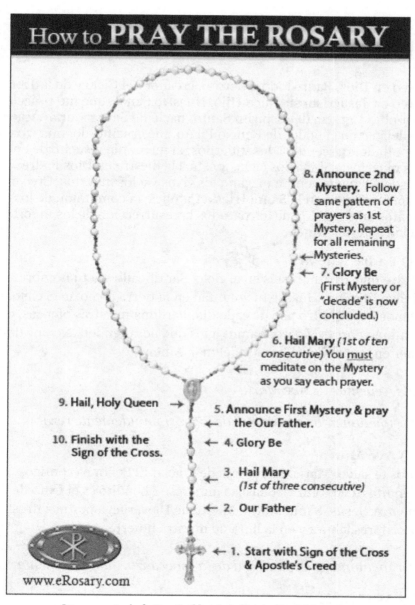

8. **Announce 2nd Mystery.** Follow same pattern of prayers as 1st Mystery. Repeat for all remaining ←Mysteries.

← 7. **Glory Be** (First Mystery or "decade" is now concluded.)

6. **Hail Mary** *(1st of ten consecutive)* You **must** meditate on the Mystery as you say each prayer.

9. **Hail, Holy Queen** →

5. **Announce First Mystery & pray** ← **the Our Father.**

← 4. **Glory Be**

10. **Finish with the Sign of the Cross.**

3. **Hail Mary** ← *(1st of three consecutive)*

← 2. **Our Father**

← 1. **Start with Sign of the Cross & Apostle's Creed**

www.eRosary.com

Imagen cortesía de Dan Rudden de la Fundación del Rosario.

El Santísimo Rosario

El Credo del Apóstol

Creo en Dios, Padre todopoderoso, creador del Cielo y de la Tierra. Creo en Jesucristo su único Hijo, Nuestro Señor, que fue concebido por obra y gracia del Espíritu Santo; nació de Santa María Virgen; padeció bajo el poder de Poncio Pilato; fue crucificado, muerto y sepultado; descendió a los infiernos; al tercer día resucitó de entre los muertos; subió a los cielos y está a la diestra de Dios Padre; desde allí ha de venir a juzgar a los vivos y a los muertos. Creo en el Espíritu Santo, en la Santa Iglesia Católica, la comumión de los Santos en el perdon de los pecados la resurrección de los muertos y la vida eterna. Amen.

(1) Padre Nuestro

Padre nuestro, que estás en el cielo. Santificado sea tu nombre. Venga tu reino. Hágase tu voluntad en la tierra como en el cielo. Danos hoy nuestro pan de cada día. Perdona nuestras ofensas, como también nosotros perdonamos a los que nos ofenden. No nos dejes caer en tentación y líbranos del mal. Amen.

Las 3 cuentas de Ave María

Por un aumento de la virtud de la fe... humildemente rezo:

(1) Ave María

Dios te salve, María. Llena eres de gracia: El Señor es contigo. Bendita tú eres entre todas las mujeres. Y bendito es el fruto de tu vientre: Jesús. Santa María, Madre de Dios, ruega por nosotros pecadores, ahora y en la hora de nuestra muerte. Amen.

Por un aumento de la virtud de la esperanza... humildemente rezo:

(1) Ave María

Dios te salve, María. Llena eres de gracia: El Señor es contigo. Bendita tú eres entre todas las mujeres. Y bendito es el fruto de tu vientre: Jesús. Santa María, Madre de Dios, ruega por nosotros pecadores, ahora y en la hora de nuestra muerte. Amen.

Por un aumento de la virtud de la caridad... humildemente rezo:

(1) Ave María

Dios te salve, María. Llena eres de gracia: El Señor es contigo. Bendita tú eres entre todas las mujeres. Y bendito es el fruto de tu vientre: Jesús. Santa María, Madre de Dios, ruega por nosotros pecadores, ahora y en la hora de nuestra muerte. Amen.

(1) Gloria a Dios

Gloria al Padre, al Hijo y al Espíritu Santo. Como era en el principio, ahora y siempre, por los siglos de los siglos. Amen.

(1) Oh, Jesús mío

Oh mi Jesús, perdónanos nuestros pecados, líbranos del fuego del infierno, lleva todas las almas al cielo, especialmente las mas necesitadas de tu misericordia. Amen.

EL PRIMER MISTERIO DOLOROSO

LA AGONÍA DE JESÚS EN EL HUERTO

Oh muy afligida Madre María, meditando en el Misterio de la Agonía de Nuestro Señor en el Huerto, del cual leemos en Mateo 26:36-46, Marcos 14:32-42, y Lucas 22:39-46. Cuando, en la gruta del Huerto de los Olivos, Jesús vio los pecados del mundo desatados ante Él por Satanás, que buscaba disuadirlo del sacrificio que estaba a punto de hacer. Cuando su alma apartándose de la vista y su preciosa sangre fluyendo por todos los poros ante la visión de la tortura y de la muerte que iba a sufrir: tus propios sufrimientos, querida Madre, los sufrimientos futuros de su Iglesia, y sus propios sufrimientos en el Santísimo Sacramento, gritó angustiado: "¡Abba! ¡Padre! ¡Si es posible, que este cáliz pase de Mí!" Pero, resignándose inmediatamente a la voluntad de su Padre, oró: "¡No como yo quiero, sino como tú quieres!"

Meditando en el Misterio de La Agonía de Jesús en el Huerto, y orando por un aumento en la virtud de la Resignación a la Voluntad de Dios, humildemente rezo...

(1) Padre Nuestro

Padre nuestro, que estás en el cielo. Santificado sea tu nombre. Venga tu reino. Hágase tu voluntad en la tierra como en el cielo. Danos hoy nuestro pan de cada día. Perdona nuestras ofensas, como también nosotros perdonamos a los que nos ofenden. No nos dejes caer en tentación y líbranos del mal. Amen.

(10) Ave María

Dios te salve, María. Llena eres de gracia: El Señor es contigo. Bendita tú eres entre todas las mujeres. Y bendito es el fruto de tu vientre: Jesús. Santa María, Madre de Dios, ruega por nosotros pecadores, ahora y en la hora de nuestra muerte. Amen.

(1) Gloria a Dios

Gloria al Padre, al Hijo y al Espíritu Santo. Como era en el principio, ahora y siempre, por los siglos de los siglos. Amen.

(1) Oh, Jesús mío:

Oh mi Jesús, perdónanos nuestros pecados, líbranos del fuego del infierno, lleva todas las almas al cielo, especialmente las mas necesitadas de tu misericordia. Amen.

Ato estas rosas de color rojo sangre a una petición por la virtud

RESIGNACIÓN A LA VOLUNTAD DE DIOS

y humildemente pongo este ramo a tus pies.

LA FLAGELACIÓN DEL SEÑOR

Oh muy afligida Madre María, meditando en el Misterio de la Flagelación del Señor, del cual leemos en Mateo 27:26, Marcos 15:15, Lucas 23:16-22, y Juan 19:1. Cuando, por orden de Pilato, tu divino Hijo, despojado de sus vestiduras y atado a una columna, fue lacerado de pies a cabeza con crueles azotes, y su carne arrancada hasta que su cuerpo mortificado no pudo soportar más.

Meditando en el Misterio de la Flagelación del Señor y rezando por el aumento de la virtud de la Mortificación, humildemente rezo...

(1) Padre Nuestro

Padre nuestro, que estás en el cielo. Santificado sea tu nombre. Venga tu reino. Hágase tu voluntad en la tierra como en el cielo. Danos hoy nuestro pan de cada día. Perdona nuestras ofensas, como también nosotros perdonamos a los que nos ofenden. No nos dejes caer en tentación y líbranos del mal. Amen.

(10) Ave María

Dios te salve, María. Llena eres de gracia: El Señor es contigo. Bendita tú eres entre todas las mujeres. Y bendito es el fruto de tu vientre: Jesús. Santa María, Madre de Dios, ruega por nosotros pecadores, ahora y en la hora de nuestra muerte. Amen.

(1) Gloria a Dios

Gloria al Padre, al Hijo y al Espíritu Santo. Como era en el principio, ahora y siempre, por los siglos de los siglos. Amen.

(1) Oh, Jesús mío:

Oh mi Jesús, perdónanos nuestros pecados, líbranos del fuego del infierno, lleva todas las almas al cielo, especialmente las mas necesitadas de tu misericordia. Amen.

Ato estas rosas de color rojo sangre a una petición por la virtud

MORTIFICACIÓN

y humildemente pondré este ramo a tus pies.

LA CORONACIÓN DE ESPINAS

Oh muy afligida Madre María, meditando sobre el Misterio de la
Coronación de Nuestro Señor con espinas, que leemos en Mateo
27:29-30, Marcos 15:16-20 y Juan 19:2-3. Cuando los soldados,
atando alrededor de su cabeza una corona de espinas afiladas, le
dan golpes, clavando las espinas profundamente en su cabeza.
Cuando ellos se arrodillaron ante Él, en burla de adoración,
gritando: "¡Salve, Rey de los judíos!"

Meditando en el Misterio de la Coronación de Espinas y orando por un aumento de la virtud de la humildad, humildemente rezo...

(1) Padre Nuestro

Padre nuestro, que estás en el cielo. Santificado sea tu nombre. Venga tu reino. Hágase tu voluntad en la tierra como en el cielo. Danos hoy nuestro pan de cada día. Perdona nuestras ofensas, como también nosotros perdonamos a los que nos ofenden. No nos dejes caer en tentación y líbranos del mal. Amen.

(10) Ave María

Dios te salve, María. Llena eres de gracia: El Señor es contigo. Bendita tú eres entre todas las mujeres. Y bendito es el fruto de tu vientre: Jesús. Santa María, Madre de Dios, ruega por nosotros pecadores, ahora y en la hora de nuestra muerte. Amen.

(1) Gloria a Dios

Gloria al Padre, al Hijo y al Espíritu Santo. Como era en el principio, ahora y siempre, por los siglos de los siglos. Amen.

(1) Oh, Jesús mío:

Oh mi Jesús, perdónanos nuestros pecados, líbranos del fuego del infierno, lleva todas las almas al cielo, especialmente las mas necesitadas de tu misericordia. Amen.

Ato estas rosas de color rojo sangre a una petición por la virtud

HUMILDAD

y humildemente pongo este ramo a tus pies.

JESÚS CON LA CRUZ A CUESTAS

Oh muy afligida Madre María, meditando sobre el Misterio de Jesús con la Cruz a Cuestas, del cual leemos en Lucas 23: 26-32, Mateo 27:31-32, Marcos 15:21, y Juan 19:17. Cuando, con la pesada madera de la cruz sobre sus hombros, tu divino Hijo fue arrastrado al Calvario, débil y sufriente, pero paciente, por las calles en medio de los insultos del pueblo, cayendo a menudo, pero empujado por los crueles golpes de sus verdugos.

Meditando en el Misterio de Jesús con la Cruz a Cuestas y orando por un aumento de la virtud de la Paciencia en la Adversidad, humildemente rezo...

(1) Padre Nuestro

Padre nuestro, que estás en el cielo. Santificado sea tu nombre. Venga tu reino. Hágase tu voluntad en la tierra como en el cielo. Danos hoy nuestro pan de cada día. Perdona nuestras ofensas, como también nosotros perdonamos a los que nos ofenden. No nos dejes caer en tentación y líbranos del mal. Amen.

(10) Ave María

Dios te salve, María. Llena eres de gracia: El Señor es contigo. Bendita tú eres entre todas las mujeres. Y bendito es el fruto de tu vientre: Jesús. Santa María, Madre de Dios, ruega por nosotros pecadores, ahora y en la hora de nuestra muerte. Amen.

(1) Gloria a Dios

Gloria al Padre, al Hijo y al Espíritu Santo. Como era en el principio, ahora y siempre, por los siglos de los siglos. Amen.

(1) Oh, Jesús mío:

Oh mi Jesús, perdónanos nuestros pecados, líbranos del fuego del infierno, lleva todas las almas al cielo, especialmente las mas necesitadas de tu misericordia. Amen.

Ato estas rosas de color rojo sangre a una petición por la virtud

PACIENCIA EN LA ADVERSIDAD

y humildemente pongo este ramo a tus pies.

LA CRUCIFIXIÓN

Oh muy afligida Madre María, meditando sobre el Misterio de la Crucifixión, del cual leemos en Lucas 23: 33-49; Mateo 27: 33-54; Marcos 15: 22-39; y Juan 19: 17-37; al ser despojado de sus vestiduras, tu divino Hijo fue clavado a la cruz, sobre la cual murió después de tres horas de indescriptible agonía, tiempo durante el cual le rogó a su Padre perdón por sus enemigos.

Meditando en el Misterio de la Crucifixión, y orando por un aumento de la virtud del Amor a nuestros Enemigos, humildemente rezo...

(1) Padre Nuestro

Padre nuestro, que estás en el cielo. Santificado sea tu nombre. Venga tu reino. Hágase tu voluntad en la tierra como en el cielo. Danos hoy nuestro pan de cada día. Perdona nuestras ofensas, como también nosotros perdonamos a los que nos ofenden. No nos dejes caer en tentación y líbranos del mal. Amen.

(10) Ave María

Dios te salve, María. Llena eres de gracia: El Señor es contigo. Bendita tú eres entre todas las mujeres. Y bendito es el fruto de tu vientre: Jesús. Santa María, Madre de Dios, ruega por nosotros pecadores, ahora y en la hora de nuestra muerte. Amen.

(1) Gloria a Dios

Gloria al Padre, al Hijo y al Espíritu Santo. Como era en el principio, ahora y siempre, por los siglos de los siglos. Amen.

(1) Oh, Jesús mío:

Oh mi Jesús, perdónanos nuestros pecados, líbranos del fuego del infierno, lleva todas las almas al cielo, especialmente las mas necesitadas de tu misericordia. Amen.

Ato estas rosas de color rojo sangre a una petición por la virtud

AMOR A NUESTROS ENEMIGOS

y humildemente pongo este ramo a tus pies.

COMUNIÓN ESPIRITUAL

MI JESÚS, realmente presente en el Santísimo Sacramento del Altar, ya que ahora no puedo recibirte bajo el velo sacramental, te suplico, con un corazón lleno de amor y anhelo, que vengas espiritualmente a mi alma a través del inmaculado corazón de tu Santísima Madre, y permanezcas conmigo para siempre; Tú en mí, y yo en Ti, en el tiempo y en la eternidad, en María. Amén.

Salve Santa Reina

Dios te salve, Reina y Madre de misericordia, vida, dulzura y esperanza nuestra, Dios te salve. A ti clamamos los desterrados hijos de Eva. A ti suspiramos gimiendo y llorando en este valle de lágrimas. Ea, pues, Señora, abogada nuestra: vuelve a nosotros esos tus ojos misericordiosos. Y después de este destierro, muéstranos a Jesús, fruto bendito de tu vientre. Oh clemente, oh piadosa, oh dulce Virgen María. Ruega por nosotros, Santa Madre de Dios, para que seamos dignos de las promesas de Cristo. Amen.

RECEMOS

¡Oh Dios! Cuyo Hijo unigénito, por su vida, muerte y resurrección, nos ha comprado la recompensa de la vida eterna; concédenos que, meditando estos misterios del Santísimo Rosario de la Santísima Virgen María, imitemos lo que contienen y obtengamos lo que prometen. Por el mismo Cristo nuestro Señor. Amén.

Que la asistencia divina permanezca siempre con nosotros. Amén. Y que las almas de los fieles difuntos, por la misericordia de Dios, descansen en paz. Amén. Virgen Santa, con tu Hijo amado, tu bendición nos da este día (*noche*).

Memorare

Acordaos, oh piadosísima Virgen María!, que jamás se ha oído decir que ninguno de los que han acudido a vuestra protección, implorando tu auxilio, haya sido desamparado. Animado por esta confianza, a Vos acudo, Madre, Virgen de la vírgenes, y gimiendo bajo el peso de mis pecados me atrevo a comparecer ante Vos. Madre de Dios, no desechéis mis súplicas, antes bien, escuchadlas y acogedlas benignamente. Amén.

Oración de San Miguel

O San Miguel, Arcangel defiéndenos en la batalla. Se nuestra proteccion contra el mal y las trampas del Diablo; humildemente te rogamos que Dios los reprenda. O Principe Celestial de la Santa Hostia, que con la ayuda de Dios eches a Satanas al infierno y a los espiritus que vagan por el mundo para arruinar las almas. Amén.

Señal de la Cruz

En el nombre del Padre, del Hijo y del Espíritu Santo, Amén.

MIERCOLES

Foto cortesía de: Esther Gefroh

LOS MISTERIOS
GLORIOSOS

CÓMO REZAR EL ROSARIO

La imagen de la página siguiente, y los pasos de abajo le mostrarán cómo rezar el Rosario y los pasos en un juego de cuentas de rosario*. Estos pasos son sólo un resumen. Se presentan en orden y con más detalle para cada uno de los 54 días que siguen en la Novena del Rosario a Nuestra Señora. Las oraciones individuales también están escritas para usted en las páginas siguientes para la Novena del Rosario a Nuestra Señora.

*Nota: La imagen del rosario que muestra estos pasos en las cuentas del rosario fue usada con permiso de la Fundación del Rosario en www.erosary.com

PASOS PARA REZAR EL ROSARIO

1. Haga la Señal de Cruz y rece el Credo del Apóstol.

2. Rece un Padre Nuestro.

3. Rece tres Ave María.

4. Recé un Gloria a Dios.

5. Recé una Oración de Fátima.

6. Anuncie el Primer Misterio y rece un Padre Nuestro.

7. Rece diez Ave María consecutivas; medite el Primer Misterio mientras reza.

8. Rece un Gloria a Dios.

9. Rece una Oración de Fátima.

10. Repita los pasos 7, 8 y 9 para el Segundo, Tercer, Cuarto y Quinto Misterio del Rosario.

11. Rece un Salve.

12. Haga la Señal de la Cruz

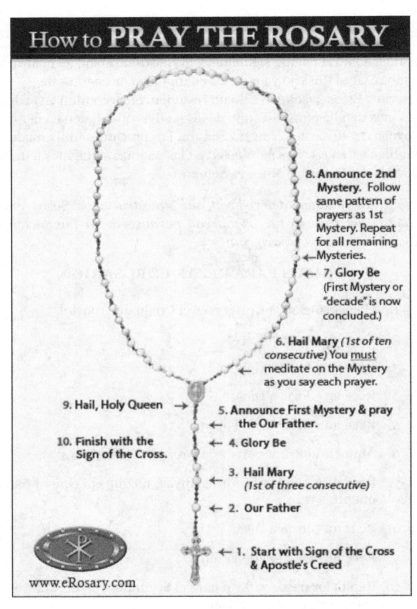

How to PRAY THE ROSARY

8. **Announce 2nd Mystery.** Follow same pattern of prayers as 1st Mystery. Repeat for all remaining Mysteries.

7. **Glory Be** (First Mystery or "decade" is now concluded.)

6. **Hail Mary** *(1st of ten consecutive)* You <u>must</u> meditate on the Mystery as you say each prayer.

9. **Hail, Holy Queen**

5. **Announce First Mystery & pray the Our Father.**

10. **Finish with the Sign of the Cross.**

4. **Glory Be**

3. **Hail Mary** *(1st of three consecutive)*

2. **Our Father**

1. **Start with Sign of the Cross & Apostle's Creed**

www.eRosary.com

Imagen cortesía de Dan Rudden de la Fundación del Rosario.

58

El Santísimo Rosario

El Credo del Apóstol

Creo en Dios, Padre todopoderoso, creador del Cielo y de la Tierra. Creo en Jesucristo su único Hijo, Nuestro Señor, que fue concebido por obra y gracia del Espíritu Santo; nació de Santa María Virgen; padeció bajo el poder de Poncio Pilato; fue crucificado, muerto y sepultado; descendió a los infiernos; al tercer día resucitó de entre los muertos; subió a los cielos y está a la diestra de Dios Padre; desde allí ha de venir a juzgar a los vivos y a los muertos. Creo en el Espíritu Santo, en la Santa Iglesia Católica, la comumión de los Santos en el perdon de los pecados la resurrección de los muertos y la vida eterna. Amen.

(1) Padre Nuestro

Padre nuestro, que estás en el cielo. Santificado sea tu nombre. Venga tu reino. Hágase tu voluntad en la tierra como en el cielo. Danos hoy nuestro pan de cada día. Perdona nuestras ofensas, como también nosotros perdonamos a los que nos ofenden. No nos dejes caer en tentación y líbranos del mal. Amen.

Las 3 cuentas de Ave María

Por un aumento de la virtud de la fe... humildemente rezo:

(1) Ave María

Dios te salve, María. Llena eres de gracia: El Señor es contigo. Bendita tú eres entre todas las mujeres. Y bendito es el fruto de tu vientre: Jesús. Santa María, Madre de Dios, ruega por nosotros pecadores, ahora y en la hora de nuestra muerte. Amen.

Por un aumento de la virtud de la esperanza... humildemente rezo:

(1) Ave María

Dios te salve, María. Llena eres de gracia: El Señor es contigo. Bendita tú eres entre todas las mujeres. Y bendito es el fruto de tu vientre: Jesús. Santa María, Madre de Dios, ruega por nosotros pecadores, ahora y en la hora de nuestra muerte. Amen.

Por un aumento de la virtud de la caridad... humildemente rezo:

(1) Ave María
Dios te salve, María. Llena eres de gracia: El Señor es contigo. Bendita tú eres entre todas las mujeres. Y bendito es el fruto de tu vientre: Jesús. Santa María, Madre de Dios, ruega por nosotros pecadores, ahora y en la hora de nuestra muerte. Amen.

(1) Gloria a Dios
Gloria al Padre, al Hijo y al Espíritu Santo. Como era en el principio, ahora y siempre, por los siglos de los siglos. Amen.

(1) Oh, Jesús mío
Oh mi Jesús, perdónanos nuestros pecados, líbranos del fuego del infierno, lleva todas las almas al cielo, especialmente las mas necesitadas de tu misericordia. Amen.

EL PRIMER MISTERIO GLORIOSO

LA RESURRECCIÓN

Oh gloriosa Madre María, meditando en el Misterio de la Resurrección de Nuestro Señor de entre los Muertos, que leemos en Mateo 28: 1-10; Marcos 16: 1-18; Lucas 24: 1-49; y Juan 20:1-29, cuando en la mañana del tercer día después de su muerte y sepultura, Jesús se levantó de entre los muertos y se te apareció a ti, Santísima Madre, y llenó tu corazón de indecible gozo; luego se le apareció a las santas mujeres, y a sus discípulos, quienes lo adoraron como a su Dios resucitado.

Meditando en el Misterio de la Resurrección de Nuestro Señor de entre los Muertos y orando por un aumento en la virtud de la Fe, humildemente rezo...

(1) Padre Nuestro

Padre nuestro, que estás en el cielo. Santificado sea tu nombre. Venga tu reino. Hágase tu voluntad en la tierra como en el cielo. Danos hoy nuestro pan de cada día. Perdona nuestras ofensas, como también nosotros perdonamos a los que nos ofenden. No nos dejes caer en tentación y líbranos del mal. Amen.

(10) Ave María

Dios te salve, María. Llena eres de gracia: El Señor es contigo. Bendita tú eres entre todas las mujeres. Y bendito es el fruto de tu vientre: Jesús. Santa María, Madre de Dios, ruega por nosotros pecadores, ahora y en la hora de nuestra muerte. Amen.

(1) Gloria a Dios

Gloria al Padre, al Hijo y al Espíritu Santo. Como era en el principio, ahora y siempre, por los siglos de los siglos. Amen.

(1) Oh, Jesús mío:

Oh mi Jesús, perdónanos nuestros pecados, líbranos del fuego del infierno, lleva todas las almas al cielo, especialmente las mas necesitadas de tu misericordia. Amen.

Ato estas rosas en flor a una petición por la virtud

FE

y humildemente pongo este ramo a tus pies.

LA ASCENSIÓN

O gloriosa Madre Maria, Meditando en el misterio de la ascensión, de la cual leemos en Marcos 16:19-20: Lucas 24:50-51: y Actos 1:6-11, cuando tu Divino Hijo, después de 40 días en la tierra, fue al Monte Olivet acompañado por sus discípulos y usted, donde todos lo adoraron por última vez, el prometio permanecer con ellos hasta el final del mundo, después extendió sus manos perforadas sobre todos en bendición mientras ascendía ante sus ojos al cielo.

Meditando en el misterio de la ascensión de nuestro señor y orando por un incremento en la virtud de esperanza rezo humildemente...

(1) Padre Nuestro

Padre nuestro, que estás en el cielo. Santificado sea tu nombre. Venga tu reino. Hágase tu voluntad en la tierra como en el cielo. Danos hoy nuestro pan de cada día. Perdona nuestras ofensas, como también nosotros perdonamos a los que nos ofenden. No nos dejes caer en tentación y líbranos del mal. Amen.

(10) Ave María

Dios te salve, María. Llena eres de gracia: El Señor es contigo. Bendita tú eres entre todas las mujeres. Y bendito es el fruto de tu vientre: Jesús. Santa María, Madre de Dios, ruega por nosotros pecadores, ahora y en la hora de nuestra muerte. Amen.

(1) Gloria a Dios

Gloria al Padre, al Hijo y al Espíritu Santo. Como era en el principio, ahora y siempre, por los siglos de los siglos. Amen.

(1) Oh, Jesús mío:

Oh mi Jesús, perdónanos nuestros pecados, líbranos del fuego del infierno, lleva todas las almas al cielo, especialmente las mas necesitadas de tu misericordia. Amen.

Ato estas rosas en flor a una petición por la virtud de

ESPERANZA

y humildemente pongo este ramo a tus pies.

LA VENIDA DEL ESPÍRITU SANTO

Oh gloriosa Madre María, meditando en el Misterio de la Venida del Espíritu Santo, que leemos en Hechos 2:1-41 Cuando los apóstoles se reunieron contigo en una casa en Jerusalén, el Espíritu Santo descendió sobre ellos en forma de lenguas ardientes, inflamando los corazones de los apóstoles con el fuego del amor divino, enseñándoles todas las verdades, dándoles el don de lenguas, y, llenándolos de la plenitud de su gracia, te inspirándote a orar por los apóstoles y los primeros cristianos.

Meditando en el Misterio de la Venida del Espíritu Santo de Nuestro Señor y rezando por un aumento de la virtud de la Caridad... humildemente rezo...

(1) Padre Nuestro

Padre nuestro, que estás en el cielo. Santificado sea tu nombre. Venga tu reino. Hágase tu voluntad en la tierra como en el cielo. Danos hoy nuestro pan de cada día. Perdona nuestras ofensas, como también nosotros perdonamos a los que nos ofenden. No nos dejes caer en tentación y líbranos del mal. Amen.

(10) Ave María

Dios te salve, María. Llena eres de gracia: El Señor es contigo. Bendita tú eres entre todas las mujeres. Y bendito es el fruto de tu vientre: Jesús. Santa María, Madre de Dios, ruega por nosotros pecadores, ahora y en la hora de nuestra muerte. Amen.

(1) Gloria a Dios

Gloria al Padre, al Hijo y al Espíritu Santo. Como era en el principio, ahora y siempre, por los siglos de los siglos. Amen.

(1) Oh, Jesús mío:

Oh mi Jesús, perdónanos nuestros pecados, líbranos del fuego del infierno, lleva todas las almas al cielo, especialmente las mas necesitadas de tu misericordia. Amen.

Ato estas rosas en flor a una petición por la virtud

CARIDAD

y humildemente pongo este ramo a tus pies.

EL CUARTO MISTERIO GLORIOSO

LA ASUNCIÓN DE MARÍA AL CIELO

Oh gloriosa Madre María, meditando en el Misterio de tu Asunción al Cielo, cuando te consumía el deseo de unirte con tu divino Hijo en el cielo, tu alma se apartó de tu cuerpo y se unió a Aquel que, por el amor excesivo que llevó por ti, su Madre, cuyo cuerpo virginal fue su primer tabernáculo, llevó ese cuerpo al cielo y allí, en medio de las aclamaciones de los ángeles y de los santos, volvió a infundir en él su alma. La meditación del Misterio de la Asunción de Nuestra Santísima Madre al Cielo, que está implícito en el libro de Apocalipsis 12:1, se enseña en El Catecismo de la Iglesia Católica cuando la Asunción se define en las Secciones 966 y 974, y por último La Asunción es parte de la Tradición Católica...

Meditando en el Misterio de la Asunción de Nuestra Santísima Madre al Cielo y orando por un aumento en la virtud de la Unión con Cristo... humildemente rezo...

(1) Padre Nuestro

Padre nuestro, que estás en el cielo. Santificado sea tu nombre. Venga tu reino. Hágase tu voluntad en la tierra como en el cielo. Danos hoy nuestro pan de cada día. Perdona nuestras ofensas, como también nosotros perdonamos a los que nos ofenden. No nos dejes caer en tentación y líbranos del mal. Amen.

(10) Ave María

Dios te salve, María. Llena eres de gracia: El Señor es contigo. Bendita tú eres entre todas las mujeres. Y bendito es el fruto de tu vientre: Jesús. Santa María, Madre de Dios, ruega por nosotros pecadores, ahora y en la hora de nuestra muerte. Amen.

(1) Gloria a Dios

Gloria al Padre, al Hijo y al Espíritu Santo. Como era en el principio, ahora y siempre, por los siglos de los siglos. Amen.

(1) Oh, Jesús mío:

Oh mi Jesús, perdónanos nuestros pecados, líbranos del fuego del infierno, lleva todas las almas al cielo, especialmente las mas necesitadas de tu misericordia. Amen.

Ato estas rosas en flor a una petición por la virtud

UNIÓN CON CRISTO

y humildemente pongo este ramo a tus pies.

EL QUINTO MISTERIO GLORIOSO

LA CORONACIÓN DE MARÍA SANTÍSIMA COMO REINA DEL CIELO

Oh gloriosa Madre María, meditando sobre el Misterio de Tu Coronación en el Cielo que está implícito en el libro de Apocalipsis 12:1, y que también se celebra anualmente el 22 de agosto cuando los católicos celebran la fiesta de la Reina de María. Oh Reina del Santo Rosario, cuando al ser llevada al Cielo después de tu muerte, fuiste triplemente coronada como la augusta Reina del Cielo. Primero por Dios Padre como Su amada Hija, luego por Dios Hijo como Su Madre más querida, y finalmente por Dios Espíritu Santo como Su casta Esposa, la más perfecta adoradora de la Santísima Trinidad, abogando por nuestra causa como nuestra Madre más poderosa y misericordiosa.

Meditando en el Misterio de La Coronación de Nuestra Santísima Madre en el Cielo como su Reina, y orando por un aumento en la virtud de la Unión Contigo, humildemente rezo...

(1) Padre Nuestro

Padre nuestro, que estás en el cielo. Santificado sea tu nombre. Venga tu reino. Hágase tu voluntad en la tierra como en el cielo. Danos hoy nuestro pan de cada día. Perdona nuestras ofensas, como también nosotros perdonamos a los que nos ofenden. No nos dejes caer en tentación y líbranos del mal. Amen.

(10) Ave María

Dios te salve, María. Llena eres de gracia: El Señor es contigo. Bendita tú eres entre todas las mujeres. Y bendito es el fruto de tu vientre: Jesús. Santa María, Madre de Dios, ruega por nosotros pecadores, ahora y en la hora de nuestra muerte. Amen.

(1) Gloria a Dios

Gloria al Padre, al Hijo y al Espíritu Santo. Como era en el principio, ahora y siempre, por los siglos de los siglos. Amen.

(1) Oh, Jesús mío:

Oh mi Jesús, perdónanos nuestros pecados, líbranos del fuego del infierno, lleva todas las almas al cielo, especialmente las mas necesitadas de tu misericordia. Amen.

Ato estas rosas en flor a una petición por la virtud

UNIÓN CONTIGO

y humildemente pongo este ramo a tus pies.

COMUNIÓN ESPIRITUAL

MI JESÚS, realmente presente en el Santísimo Sacramento del Altar, ya que ahora no puedo recibirte bajo el velo sacramental, te suplico, con un corazón lleno de amor y anhelo, que vengas espiritualmente a mi alma a través del inmaculado corazón de tu Santísima Madre, y permanezcas conmigo para siempre; Tú en mí, y yo en Ti, en el tiempo y en la eternidad, en María. Amén.

Salve Santa Reina

Dios te salve, Reina y Madre de misericordia, vida, dulzura y esperanza nuestra, Dios te salve. A ti clamamos los desterrados hijos de Eva. A ti suspiramos gimiendo y llorando en este valle de lágrimas. Ea, pues, Señora, abogada nuestra: vuelve a nosotros esos tus ojos misericordiosos. Y después de este destierro, muéstranos a Jesús, fruto bendito de tu vientre. Oh clemente, oh piadosa, oh dulce Virgen María. Ruega por nosotros, Santa Madre de Dios, para que seamos dignos de las promesas de Cristo. Amen.

RECEMOS

¡Oh Dios! Cuyo Hijo unigénito, por su vida, muerte y resurrección, nos ha comprado la recompensa de la vida eterna; concédenos que, meditando estos misterios del Santísimo Rosario de la Santísima Virgen María, imitemos lo que contienen y obtengamos lo que prometen. Por el mismo Cristo nuestro Señor. Amén.

Que la asistencia divina permanezca siempre con nosotros. Amén. Y que las almas de los fieles difuntos, por la misericordia de Dios, descansen en paz. Amén. Virgen Santa, con tu Hijo amado, tu bendición nos da este día (noche).

Memorare

Acordaos, oh piadosísima Virgen María!, que jamás se ha oído decir que ninguno de los que han acudido a vuestra protección, implorando tu auxilio, haya sido desamparado. Animado por esta confianza, a Vos acudo, Madre, Virgen de la vírgenes, y gimiendo bajo el peso de mis pecados me atrevo a comparecer ante Vos. Madre de Dios, no desechéis mis súplicas, antes bien, escuchadlas y acogedlas benignamente. Amén.

Oración de San Miguel

O San Miguel, Arcangel defiéndenos en la batalla. Se nuestra proteccion contra el mal y las trampas del Diablo; humildemente te rogamos que Dios los reprenda. O Principe Celestial de la Santa Hostia, que con la ayuda de Dios eches a Satanas al infierno y a los espiritus que vagan por el mundo para arruinar las almas. Amén.

Señal de la Cruz

En el nombre del Padre, del Hijo y del Espíritu Santo, Amén.

Jueves

Los Misterios Luminosos

CÓMO REZAR EL ROSARIO

La imagen de la página siguiente, y los pasos de abajo le mostrarán cómo rezar el Rosario y los pasos en un juego de cuentas de rosario*. Estos pasos son sólo un resumen. Se presentan en orden y con más detalle para cada uno de los 54 días que siguen en la Novena del Rosario a Nuestra Señora. Las oraciones individuales también están escritas para usted en las páginas siguientes para la Novena del Rosario a Nuestra Señora.

Nota: La imagen del rosario que muestra estos pasos en las cuentas del rosario fue usada con permiso de la Fundación del Rosario en www.erosary.com

PASOS PARA REZAR EL ROSARIO

1. Haga la Señal de Cruz y rece el Credo del Apóstol.

2. Rece un Padre Nuestro.

3. Rece tres Ave María.

4. Recé un Gloria a Dios.

5. Recé una Oración de Fátima.

6. Anuncie el Primer Misterio y rece un Padre Nuestro.

7. Rece diez Ave María consecutivas; medite el Primer Misterio mientras reza.

8. Rece un Gloria a Dios.

9. Rece una Oración de Fátima.

10. Repita los pasos 7, 8 y 9 para el Segundo, Tercer, Cuarto y Quinto Misterio del Rosario.

11. Rece un Salve.

12. Haga la Señal de la Cruz

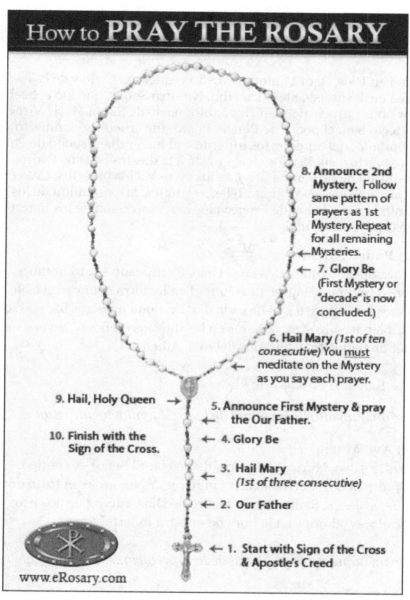

How to PRAY THE ROSARY

8. **Announce 2nd Mystery.** Follow same pattern of prayers as 1st Mystery. Repeat for all remaining Mysteries.

← 7. **Glory Be** (First Mystery or "decade" is now concluded.)

6. **Hail Mary** *(1st of ten consecutive)* You **must** meditate on the Mystery as you say each prayer.

9. **Hail, Holy Queen** →

5. **Announce First Mystery & pray the Our Father.**

10. **Finish with the Sign of the Cross.**

← 4. **Glory Be**

3. **Hail Mary** *(1st of three consecutive)*

← 2. **Our Father**

← 1. **Start with Sign of the Cross & Apostle's Creed**

www.eRosary.com

Imagen cortesía de Dan Rudden de la Fundación del Rosario.

El Santísimo Rosario

El Credo del Apóstol

Creo en Dios, Padre todopoderoso, creador del Cielo y de la Tierra. Creo en Jesucristo su único Hijo, Nuestro Señor, que fue concebido por obra y gracia del Espíritu Santo; nació de Santa María Virgen; padeció bajo el poder de Poncio Pilato; fue crucificado, muerto y sepultado; descendió a los infiernos; al tercer día resucitó de entre los muertos; subió a los cielos y está a la diestra de Dios Padre; desde allí ha de venir a juzgar a los vivos y a los muertos. Creo en el Espíritu Santo, en la Santa Iglesia Católica, la comunión de los Santos en el perdon de los pecados la resurrección de los muertos y la vida eterna. Amen.

(1) Padre Nuestro

Padre nuestro, que estás en el cielo. Santificado sea tu nombre. Venga tu reino. Hágase tu voluntad en la tierra como en el cielo. Danos hoy nuestro pan de cada día. Perdona nuestras ofensas, como también nosotros perdonamos a los que nos ofenden. No nos dejes caer en tentación y líbranos del mal. Amen.

Las 3 cuentas de Ave María

Por un aumento de la virtud de la fe... humildemente rezo:

(1) Ave María

Dios te salve, María. Llena eres de gracia: El Señor es contigo. Bendita tú eres entre todas las mujeres. Y bendito es el fruto de tu vientre: Jesús. Santa María, Madre de Dios, ruega por nosotros pecadores, ahora y en la hora de nuestra muerte. Amen.

Por un aumento de la virtud de la esperanza... humildemente rezo:

(1) Ave María

Dios te salve, María. Llena eres de gracia: El Señor es contigo. Bendita tú eres entre todas las mujeres. Y bendito es el fruto de tu vientre: Jesús. Santa María, Madre de Dios, ruega por nosotros pecadores, ahora y en la hora de nuestra muerte. Amen.

Por un aumento de la virtud de la caridad... humildemente rezo:

(1) Ave María
Dios te salve, María. Llena eres de gracia: El Señor es contigo. Bendita tú eres entre todas las mujeres. Y bendito es el fruto de tu vientre: Jesús. Santa María, Madre de Dios, ruega por nosotros pecadores, ahora y en la hora de nuestra muerte. Amen.

(1) Gloria a Dios
Gloria al Padre, al Hijo y al Espíritu Santo. Como era en el principio, ahora y siempre, por los siglos de los siglos. Amen.

(1) Oh, Jesús mío
Oh mi Jesús, perdónanos nuestros pecados, líbranos del fuego del infierno, lleva todas las almas al cielo, especialmente las mas necesitadas de tu misericordia. Amen.

EL BAUTISMO DE JESÚS EN EL RÍO JORDÁN

Oh valiente Madre María, meditando sobre el Misterio del Bautismo de Jesús en el Río Jordán que leemos en Mateo 3:11-17; Marcos 1:9-11; Lucas 3:15-22 y Juan 1:26-34. Cuando tu hijo, como ejemplo para todos, insistió en ser bautizado por su primo Juan y el cielo se abrió y el Espíritu Santo descendió a él como una paloma y una voz del cielo dijo: "Tú eres mi propio Hijo amado en quien tengo complacencia."

Meditando en el Bautismo de Jesús en el Río Jordán y orando por un aumento en la virtud de la Apertura al Espíritu Santo, humildemente rezo...

(1) Padre Nuestro

Padre nuestro, que estás en el cielo. Santificado sea tu nombre. Venga tu reino. Hágase tu voluntad en la tierra como en el cielo. Danos hoy nuestro pan de cada día. Perdona nuestras ofensas, como también nosotros perdonamos a los que nos ofenden. No nos dejes caer en tentación y líbranos del mal. Amen.

(10) Ave María

Dios te salve, María. Llena eres de gracia: El Señor es contigo. Bendita tú eres entre todas las mujeres. Y bendito es el fruto de tu vientre: Jesús. Santa María, Madre de Dios, ruega por nosotros pecadores, ahora y en la hora de nuestra muerte. Amen.

(1) Gloria a Dios

Gloria al Padre, al Hijo y al Espíritu Santo. Como era en el principio, ahora y siempre, por los siglos de los siglos. Amen.

(1) Oh, Jesús mío:

Oh mi Jesús, perdónanos nuestros pecados, líbranos del fuego del infierno, lleva todas las almas al cielo, especialmente las mas necesitadas de tu misericordia. Amen.

Ato estas rosas de color amarillo brillante a una petición por la virtud
APERTURA AL ESPÍRITU SANTO

y humildemente pongo este ramo a tus pies.

LAS BODAS DE CANÁ... EL PRIMER MILAGRO DE JESÚS...

Oh valiente Madre María, meditando en el Misterio del Primer Milagro de Jesús en la Fiesta de las Bodas de Caná, la historia que leemos en Juan 2:1-12, cuando a instancias tuyas, tu hijo hizo el primero de sus muchos milagros al ayudar a una pareja a celebrar su boda transformando el agua en vino de tal calidad que el mayordomo principal reprendió al anfitrión diciendo: "Por lo general, la gente sirve primero el mejor vino y guarda el más barato para el final, pero tú has guardado el más selecto para el final."

Meditando en el Misterio de las Bodas de Caná, y orando por un aumento de la virtud de A Jesús por medio de María, humildemente rezo...

(1) Padre Nuestro

Padre nuestro, que estás en el cielo. Santificado sea tu nombre. Venga tu reino. Hágase tu voluntad en la tierra como en el cielo. Danos hoy nuestro pan de cada día. Perdona nuestras ofensas, como también nosotros perdonamos a los que nos ofenden. No nos dejes caer en tentación y líbranos del mal. Amen.

(10) Ave María

Dios te salve, María. Llena eres de gracia: El Señor es contigo. Bendita tú eres entre todas las mujeres. Y bendito es el fruto de tu vientre: Jesús. Santa María, Madre de Dios, ruega por nosotros pecadores, ahora y en la hora de nuestra muerte. Amen.

(1) Gloria a Dios

Gloria al Padre, al Hijo y al Espíritu Santo. Como era en el principio, ahora y siempre, por los siglos de los siglos. Amen.

(1) Oh, Jesús mío:

Oh mi Jesús, perdónanos nuestros pecados, líbranos del fuego del infierno, lleva todas las almas al cielo, especialmente las mas necesitadas de tu misericordia. Amen.

Ato estas rosas de color amarillo brillante a una petición por la virtud

A JESÚS POR MEDIO DE MARÍA

y humildemente pongo este ramo a tus pies.

EL ANUNCIO DEL REINO DE DIOS

Oh valiente Madre María, meditando en el Misterio del Anuncio del Reino de Dios, la historia que leemos en Marcos 1:14-15, Mateo 5:1-16, Mateo 6:33, y también Mateo 7:21, cuando tu hijo reveló que el reino de Dios ya ha comenzado "dentro de nosotros" y somos llamados a la conversión y al perdón, orando "Venga tu Reino, hágase tu voluntad, en la Tierra como en el cielo."

Meditando en el Misterio del Anuncio del Reino de Dios y orando por un aumento de la virtud del Arrepentimiento y Confianza en Dios, humildemente rezo ...

(1) Padre Nuestro

Padre nuestro, que estás en el cielo. Santificado sea tu nombre. Venga tu reino. Hágase tu voluntad en la tierra como en el cielo. Danos hoy nuestro pan de cada día. Perdona nuestras ofensas, como también nosotros perdonamos a los que nos ofenden. No nos dejes caer en tentación y líbranos del mal. Amen.

(10) Ave María

Dios te salve, María. Llena eres de gracia: El Señor es contigo. Bendita tú eres entre todas las mujeres. Y bendito es el fruto de tu vientre: Jesús. Santa María, Madre de Dios, ruega por nosotros pecadores, ahora y en la hora de nuestra muerte. Amen.

(1) Gloria a Dios

Gloria al Padre, al Hijo y al Espíritu Santo. Como era en el principio, ahora y siempre, por los siglos de los siglos. Amen.

(1) Oh, Jesús mío:

Oh mi Jesús, perdónanos nuestros pecados, líbranos del fuego del infierno, lleva todas las almas al cielo, especialmente las mas necesitadas de tu misericordia. Amen.

Ato estas rosas de color amarillo brillante a una petición por la

virtud

ARREPENTIEMIENTO Y CONFIANZA EN DIOS

y humildemente pongo este ramo a tus pies.

LA TRANSFIGURACIÓN

Oh valiente Madre María, meditando en el Misterio de la
Transfiguración, la historia que leemos en Mateo 17:1-8, Marcos
9:2-10 y Lucas 9:28-36, cuando tu hijo reveló su gloria a sus tres
discípulos, apareciendo en un monte con Moisés y Elías, su rostro
resplandeciente como el sol y una voz del cielo proclamando: "Este
es mi Hijo amado... Escúchennlo."

Meditando en el Misterio de la Transfiguración, y orando por un aumento de la virtud del Deseo de Santidad, humildemente rezo...

(1) Padre Nuestro

Padre nuestro, que estás en el cielo. Santificado sea tu nombre. Venga tu reino. Hágase tu voluntad en la tierra como en el cielo. Danos hoy nuestro pan de cada día. Perdona nuestras ofensas, como también nosotros perdonamos a los que nos ofenden. No nos dejes caer en tentación y líbranos del mal. Amen.

(10) Ave María

Dios te salve, María. Llena eres de gracia: El Señor es contigo. Bendita tú eres entre todas las mujeres. Y bendito es el fruto de tu vientre: Jesús. Santa María, Madre de Dios, ruega por nosotros pecadores, ahora y en la hora de nuestra muerte. Amen.

(1) Gloria a Dios

Gloria al Padre, al Hijo y al Espíritu Santo. Como era en el principio, ahora y siempre, por los siglos de los siglos. Amen.

(1) Oh, Jesús mío:

Oh mi Jesús, perdónanos nuestros pecados, líbranos del fuego del infierno, lleva todas las almas al cielo, especialmente las mas necesitadas de tu misericordia. Amen.

Ato estas rosas de color amarillo brillante a una petición por la virtud

DESEO DE SANTIDAD

y humildemente pongo este ramo a tus pies.

LA INSTITUCIÓN DE LA EUCARISTÍA

Oh valiente Madre María, meditando en el Misterio de la Institución del Sacramento de la Eucaristía, la lección que se nos enseña en Mateo 26:26-28, Marcos 14:22-25, Lucas 22:14-20 y Juan 6:33-59, cuando el día antes de morir, tu hijo celebró la Pascua con sus discípulos y tomó el pan y se los dio diciendo: "Tomen y coman; este es mi cuerpo". Y al terminar la cena, tomó una copa de vino y se las dio, diciendo: "Tomad y bebed; ésta es mi sangre, que por vosotros será entregada; haced esto en memoria mía."

Meditando sobre la Institución de la Eucaristía y rezando por un aumento de la virtud de la Adoración de la Eucaristía, humildemente rezo...

(1) Padre Nuestro

Padre nuestro, que estás en el cielo. Santificado sea tu nombre. Venga tu reino. Hágase tu voluntad en la tierra como en el cielo. Danos hoy nuestro pan de cada día. Perdona nuestras ofensas, como también nosotros perdonamos a los que nos ofenden. No nos dejes caer en tentación y líbranos del mal. Amen.

(10) Ave María

Dios te salve, María. Llena eres de gracia: El Señor es contigo. Bendita tú eres entre todas las mujeres. Y bendito es el fruto de tu vientre: Jesús. Santa María, Madre de Dios, ruega por nosotros pecadores, ahora y en la hora de nuestra muerte. Amen.

(1) Gloria a Dios

Gloria al Padre, al Hijo y al Espíritu Santo. Como era en el principio, ahora y siempre, por los siglos de los siglos. Amen.

(1) Oh, Jesús mío:

Oh mi Jesús, perdónanos nuestros pecados, líbranos del fuego del infierno, lleva todas las almas al cielo, especialmente las mas necesitadas de tu misericordia. Amen.

Ato estas rosas de color amarillo brillante a una petición por la virtud
ADORACIÓN DE LA EUCARISTÍA

y humildemente pongo este ramo a tus pies.

COMUNIÓN ESPIRITUAL

MI JESÚS, realmente presente en el Santísimo Sacramento del Altar, ya que ahora no puedo recibirte bajo el velo sacramental, te suplico, con un corazón lleno de amor y anhelo, que vengas espiritualmente a mi alma a través del inmaculado corazón de tu Santísima Madre, y permanezcas conmigo para siempre; Tú en mí, y yo en Ti, en el tiempo y en la eternidad, en María. Amén.

Salve Santa Reina
Dios te salve, Reina y Madre de misericordia, vida, dulzura y esperanza nuestra, Dios te salve. A ti clamamos los desterrados hijos de Eva. A ti suspiramos gimiendo y llorando en este valle de lágrimas. Ea, pues, Señora, abogada nuestra: vuelve a nosotros esos tus ojos misericordiosos. Y después de este destierro, muéstranos a Jesús, fruto bendito de tu vientre. Oh clemente, oh piadosa, oh dulce Virgen María. Ruega por nosotros, Santa Madre de Dios, para que seamos dignos de las promesas de Cristo. Amen.

RECEMOS
¡Oh Dios! Cuyo Hijo unigénito, por su vida, muerte y resurrección, nos ha comprado la recompensa de la vida eterna; concédenos que, meditando estos misterios del Santísimo Rosario de la Santísima Virgen María, imitemos lo que contienen y obtengamos lo que prometen. Por el mismo Cristo nuestro Señor. Amén.

Que la asistencia divina permanezca siempre con nosotros. Amén. Y que las almas de los fieles difuntos, por la misericordia de Dios, descansen en paz. Amén. Virgen Santa, con tu Hijo amado, tu bendición nos da este día (*noche*).

Memorare

Acordaos, oh piadosísima Virgen María!, que jamás se ha oído decir que ninguno de los que han acudido a vuestra protección, implorando tu auxilio, haya sido desamparado. Animado por esta confianza, a Vos acudo, Madre, Virgen de la vírgenes, y gimiendo bajo el peso de mis pecados me atrevo a comparecer ante Vos. Madre de Dios, no desechéis mis súplicas, antes bien, escuchadlas y acogedlas benignamente. Amén.

Oración de San Miguel

O San Miguel, Arcangel defiéndenos en la batalla. Se nuestra proteccion contra el mal y las trampas del Diablo; humildemente te rogamos que Dios los reprenda. O Principe Celestial de la Santa Hostia, que con la ayuda de Dios eches a Satanas al infierno y a los espiritus que vagan por el mundo para arruinar las almas. Amén.

Señal de la Cruz

En el nombre del Padre, del Hijo y del Espíritu Santo, Amén.

Viernes

LOS MISTERIOS
DOLOROSOS

CÓMO REZAR EL ROSARIO

La imagen de la página siguiente, y los pasos de abajo le mostrarán cómo rezar el Rosario y los pasos en un juego de cuentas de rosario*. Estos pasos son sólo un resumen. Se presentan en orden y con más detalle para cada uno de los 54 días que siguen en la Novena del Rosario a Nuestra Señora. Las oraciones individuales también están escritas para usted en las páginas siguientes para la Novena del Rosario a Nuestra Señora.

Nota: La imagen del rosario que muestra estos pasos en las cuentas del rosario fue usada con permiso de la Fundación del Rosario en www.erosary.com

PASOS PARA REZAR EL ROSARIO

1. Haga la Señal de Cruz y rece el Credo del Apóstol.

2. Rece un Padre Nuestro.

3. Rece tres Ave María.

4. Recé un Gloria a Dios.

5. Recé una Oración de Fátima.

6. Anuncie el Primer Misterio y rece un Padre Nuestro.

7. Rece diez Ave María consecutivas; medite el Primer Misterio mientras reza.

8. Rece un Gloria a Dios.

9. Rece una Oración de Fátima.

10. Repita los pasos 7, 8 y 9 para el Segundo, Tercer, Cuarto y Quinto Misterio del Rosario.

11. Rece un Salve.

12. Haga la Señal de la Cruz

How to PRAY THE ROSARY

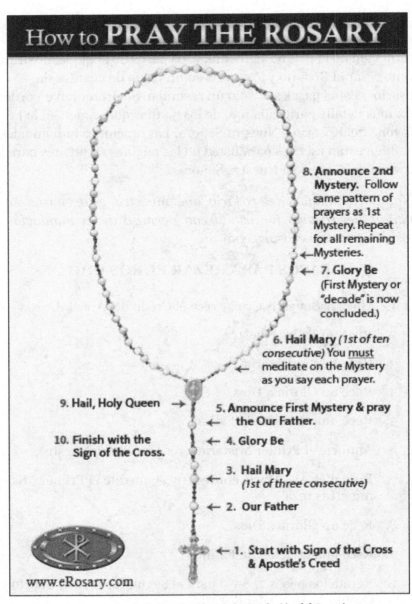

8. **Announce 2nd Mystery.** Follow same pattern of prayers as 1st Mystery. Repeat for all remaining ←Mysteries.

← 7. **Glory Be** (First Mystery or "decade" is now concluded.)

6. **Hail Mary** *(1st of ten consecutive)* You <u>must</u> meditate on the Mystery as you say each prayer.

9. **Hail, Holy Queen** →

5. **Announce First Mystery & pray** the Our Father.

10. **Finish with the Sign of the Cross.**

← 4. **Glory Be**

3. **Hail Mary** *(1st of three consecutive)*

← 2. **Our Father**

← 1. **Start with Sign of the Cross & Apostle's Creed**

www.eRosary.com

Imagen cortesía de Dan Rudden de la Fundación del Rosario.

El Santísimo Rosario

El Credo del Apóstol

Creo en Dios, Padre todopoderoso, creador del Cielo y de la Tierra. Creo en Jesucristo su único Hijo, Nuestro Señor, que fue concebido por obra y gracia del Espíritu Santo; nació de Santa María Virgen; padeció bajo el poder de Poncio Pilato; fue crucificado, muerto y sepultado; descendió a los infiernos; al tercer día resucitó de entre los muertos; subió a los cielos y está a la diestra de Dios Padre; desde allí ha de venir a juzgar a los vivos y a los muertos. Creo en el Espíritu Santo, en la Santa Iglesia Católica, la comunión de los Santos en el perdon de los pecados la resurrección de los muertos y la vida eterna. Amen.

(1) Padre Nuestro

Padre nuestro, que estás en el cielo. Santificado sea tu nombre. Venga tu reino. Hágase tu voluntad en la tierra como en el cielo. Danos hoy nuestro pan de cada día. Perdona nuestras ofensas, como también nosotros perdonamos a los que nos ofenden. No nos dejes caer en tentación y líbranos del mal. Amen.

Las 3 cuentas de Ave María

Por un aumento de la virtud de la fe... humildemente rezo:

(1) Ave María

Dios te salve, María. Llena eres de gracia: El Señor es contigo. Bendita tú eres entre todas las mujeres. Y bendito es el fruto de tu vientre: Jesús. Santa María, Madre de Dios, ruega por nosotros pecadores, ahora y en la hora de nuestra muerte. Amen.

Por un aumento de la virtud de la esperanza... humildemente rezo:

(1) Ave María

Dios te salve, María. Llena eres de gracia: El Señor es contigo. Bendita tú eres entre todas las mujeres. Y bendito es el fruto de tu vientre: Jesús. Santa María, Madre de Dios, ruega por nosotros pecadores, ahora y en la hora de nuestra muerte. Amen.

Por un aumento de la virtud de la caridad... humildemente rezo:

(1) Ave María
Dios te salve, María. Llena eres de gracia: El Señor es contigo.
Bendita tú eres entre todas las mujeres. Y bendito es el fruto de tu
vientre: Jesús. Santa María, Madre de Dios, ruega por nosotros
pecadores, ahora y en la hora de nuestra muerte. Amen.

(1) Gloria a Dios
Gloria al Padre, al Hijo y al Espíritu Santo. Como era en el principio,
ahora y siempre, por los siglos de los siglos. Amen.

(1) Oh, Jesús mío
Oh mi Jesús, perdónanos nuestros pecados, líbranos del fuego del
infierno, lleva todas las almas al cielo, especialmente las mas
necesitadas de tu misericordia. Amen.

EL PRIMER MISTERIO DOLOROSO

LA AGONÍA DE JESÚS EN EL HUERTO

Oh muy afligida Madre María, meditando en el Misterio de la Agonía de Nuestro Señor en el Huerto, del cual leemos en Mateo 26:36-46, Marcos 14:32-42, y Lucas 22:39-46. Cuando, en la gruta del Huerto de los Olivos, Jesús vio los pecados del mundo desatados ante Él por Satanás, que buscaba disuadirlo del sacrificio que estaba a punto de hacer. Cuando su alma apartándose de la vista y su preciosa sangre fluyendo por todos los poros ante la visión de la tortura y de la muerte que iba a sufrir: tus propios sufrimientos, querida Madre, los sufrimientos futuros de su Iglesia, y sus propios sufrimientos en el Santísimo Sacramento, gritó angustiado: "¡Abba! ¡Padre! ¡Si es posible, que este cáliz pase de Mí!" Pero, resignándose inmediatamente a la voluntad de su Padre, oró: "¡No como yo quiero, sino como tú quieres!"

Meditando en el Misterio de La Agonía de Jesús en el Huerto, y orando por un aumento en la virtud de la Resignación a la Voluntad de Dios, humildemente rezo...

(1) Padre Nuestro

Padre nuestro, que estás en el cielo. Santificado sea tu nombre. Venga tu reino. Hágase tu voluntad en la tierra como en el cielo. Danos hoy nuestro pan de cada día. Perdona nuestras ofensas, como también nosotros perdonamos a los que nos ofenden. No nos dejes caer en tentación y líbranos del mal. Amen.

(10) Ave María

Dios te salve, María. Llena eres de gracia: El Señor es contigo. Bendita tú eres entre todas las mujeres. Y bendito es el fruto de tu vientre: Jesús. Santa María, Madre de Dios, ruega por nosotros pecadores, ahora y en la hora de nuestra muerte. Amen.

(1) Gloria a Dios

Gloria al Padre, al Hijo y al Espíritu Santo. Como era en el principio, ahora y siempre, por los siglos de los siglos. Amen.

(1) Oh, Jesús mío:

Oh mi Jesús, perdónanos nuestros pecados, líbranos del fuego del infierno, lleva todas las almas al cielo, especialmente las mas necesitadas de tu misericordia. Amen.

Ato estas rosas de color rojo sangre a una petición por la virtud

RESIGNACIÓN A LA VOLUNTAD DE DIOS

y humildemente pongo este ramo a tus pies.

LA FLAGELACIÓN DEL SEÑOR

Oh muy afligida Madre María, meditando en el Misterio de la
Flagelación del Señor, del cual leemos en Mateo 27:26, Marcos
15:15, Lucas 23:16-22, y Juan 19:1. Cuando, por orden de Pilato, tu
divino Hijo, despojado de sus vestiduras y atado a una columna, fue
lacerado de pies a cabeza con crueles azotes, y su carne arrancada
hasta que su cuerpo mortificado no pudo soportar más.

Meditando en el Misterio de la Flagelación del Señor y rezando por el aumento de la virtud de la Mortificación, humildemente rezo...

(1) Padre Nuestro

Padre nuestro, que estás en el cielo. Santificado sea tu nombre. Venga tu reino. Hágase tu voluntad en la tierra como en el cielo. Danos hoy nuestro pan de cada día. Perdona nuestras ofensas, como también nosotros perdonamos a los que nos ofenden. No nos dejes caer en tentación y líbranos del mal. Amen.

(10) Ave María

Dios te salve, María. Llena eres de gracia: El Señor es contigo. Bendita tú eres entre todas las mujeres. Y bendito es el fruto de tu vientre: Jesús. Santa María, Madre de Dios, ruega por nosotros pecadores, ahora y en la hora de nuestra muerte. Amen.

(1) Gloria a Dios

Gloria al Padre, al Hijo y al Espíritu Santo. Como era en el principio, ahora y siempre, por los siglos de los siglos. Amen.

(1) Oh, Jesús mío:

Oh mi Jesús, perdónanos nuestros pecados, líbranos del fuego del infierno, lleva todas las almas al cielo, especialmente las mas necesitadas de tu misericordia. Amen.

Ato estas rosas de color rojo sangre a una petición por la virtud

MORTIFICACIÓN

y humildemente pondré este ramo a tus pies.

LA CORONACIÓN DE ESPINAS

Oh muy afligida Madre María, meditando sobre el Misterio de la
Coronación de Nuestro Señor con espinas, que leemos en Mateo
27:29-30, Marcos 15:16-20 y Juan 19:2-3. Cuando los soldados,
atando alrededor de su cabeza una corona de espinas afiladas, le
dan golpes, clavando las espinas profundamente en su cabeza.
Cuando ellos se arrodillaron ante Él, en burla de adoración,
gritando: "¡Salve, Rey de los judíos!"

Meditando en el Misterio de la Coronación de Espinas y orando por un aumento de la virtud de la humildad, humildemente rezo...

(1) Padre Nuestro

Padre nuestro, que estás en el cielo. Santificado sea tu nombre. Venga tu reino. Hágase tu voluntad en la tierra como en el cielo. Danos hoy nuestro pan de cada día. Perdona nuestras ofensas, como también nosotros perdonamos a los que nos ofenden. No nos dejes caer en tentación y líbranos del mal. Amen.

(10) Ave María

Dios te salve, María. Llena eres de gracia: El Señor es contigo. Bendita tú eres entre todas las mujeres. Y bendito es el fruto de tu vientre: Jesús. Santa María, Madre de Dios, ruega por nosotros pecadores, ahora y en la hora de nuestra muerte. Amen.

(1) Gloria a Dios

Gloria al Padre, al Hijo y al Espíritu Santo. Como era en el principio, ahora y siempre, por los siglos de los siglos. Amen.

(1) Oh, Jesús mío:

Oh mi Jesús, perdónanos nuestros pecados, líbranos del fuego del infierno, lleva todas las almas al cielo, especialmente las mas necesitadas de tu misericordia. Amen.

Ato estas rosas de color rojo sangre a una petición por la virtud

HUMILDAD

y humildemente pongo este ramo a tus pies.

EL CUARTO MISTERIO DOLOROSO

JESÚS CON LA CRUZ A CUESTAS

Oh muy afligida Madre María, meditando sobre el Misterio de Jesús con la Cruz a Cuestas, del cual leemos en Lucas 23: 26-32, Mateo 27:31-32, Marcos 15:21, y Juan 19:17. Cuando, con la pesada madera de la cruz sobre sus hombros, tu divino Hijo fue arrastrado al Calvario, débil y sufriente, pero paciente, por las calles en medio de los insultos del pueblo, cayendo a menudo, pero empujado por los crueles golpes de sus verdugos.

Meditando en el Misterio de Jesús con la Cruz a Cuestas y orando por un aumento de la virtud de la Paciencia en la Adversidad, humildemente rezo...

(1) Padre Nuestro

Padre nuestro, que estás en el cielo. Santificado sea tu nombre. Venga tu reino. Hágase tu voluntad en la tierra como en el cielo. Danos hoy nuestro pan de cada día. Perdona nuestras ofensas, como también nosotros perdonamos a los que nos ofenden. No nos dejes caer en tentación y líbranos del mal. Amen.

(10) Ave María

Dios te salve, María. Llena eres de gracia: El Señor es contigo. Bendita tú eres entre todas las mujeres. Y bendito es el fruto de tu vientre: Jesús. Santa María, Madre de Dios, ruega por nosotros pecadores, ahora y en la hora de nuestra muerte. Amen.

(1) Gloria a Dios

Gloria al Padre, al Hijo y al Espíritu Santo. Como era en el principio, ahora y siempre, por los siglos de los siglos. Amen.

(1) Oh, Jesús mío:

Oh mi Jesús, perdónanos nuestros pecados, líbranos del fuego del infierno, lleva todas las almas al cielo, especialmente las mas necesitadas de tu misericordia. Amen.

Ato estas rosas de color rojo sangre a una petición por la virtud

PACIENCIA EN LA ADVERSIDAD

y humildemente pongo este ramo a tus pies.

EL QUINTO MISTERIO DOLOROSO

LA CRUCIFIXIÓN

Oh muy afligida Madre María, meditando sobre el Misterio de la
Crucifixión, del cual leemos en Lucas 23: 33-49; Mateo 27: 33-54;
Marcos 15: 22-39; y Juan 19: 17-37; al ser despojado de sus
vestiduras, tu divino Hijo fue clavado a la cruz, sobre la cual murió
después de tres horas de indescriptible agonía, tiempo durante el
cual le rogó a su Padre perdón por sus enemigos.

Meditando en el Misterio de la Crucifixión, y orando por un aumento de la virtud del Amor a nuestros Enemigos, humildemente rezo...

(1) Padre Nuestro

Padre nuestro, que estás en el cielo. Santificado sea tu nombre. Venga tu reino. Hágase tu voluntad en la tierra como en el cielo. Danos hoy nuestro pan de cada día. Perdona nuestras ofensas, como también nosotros perdonamos a los que nos ofenden. No nos dejes caer en tentación y líbranos del mal. Amen.

(10) Ave María

Dios te salve, María. Llena eres de gracia: El Señor es contigo. Bendita tú eres entre todas las mujeres. Y bendito es el fruto de tu vientre: Jesús. Santa María, Madre de Dios, ruega por nosotros pecadores, ahora y en la hora de nuestra muerte. Amen.

(1) Gloria a Dios

Gloria al Padre, al Hijo y al Espíritu Santo. Como era en el principio, ahora y siempre, por los siglos de los siglos. Amen.

(1) Oh, Jesús mío:

Oh mi Jesús, perdónanos nuestros pecados, líbranos del fuego del infierno, lleva todas las almas al cielo, especialmente las mas necesitadas de tu misericordia. Amen.

Ato estas rosas de color rojo sangre a una petición por la virtud

AMOR A NUESTROS ENEMIGOS

y humildemente pongo este ramo a tus pies.

COMUNIÓN ESPIRITUAL

MI JESÚS, realmente presente en el Santísimo Sacramento del Altar, ya que ahora no puedo recibirte bajo el velo sacramental, te suplico, con un corazón lleno de amor y anhelo, que vengas espiritualmente a mi alma a través del inmaculado corazón de tu Santísima Madre, y permanezcas conmigo para siempre; Tú en mí, y yo en Ti, en el tiempo y en la eternidad, en María. Amén.

Salve Santa Reina

Dios te salve, Reina y Madre de misericordia, vida, dulzura y esperanza nuestra, Dios te salve. A ti clamamos los desterrados hijos de Eva. A ti suspiramos gimiendo y llorando en este valle de lágrimas. Ea, pues, Señora, abogada nuestra: vuelve a nosotros esos tus ojos misericordiosos. Y después de este destierro, muéstranos a Jesús, fruto bendito de tu vientre. Oh clemente, oh piadosa, oh dulce Virgen María. Ruega por nosotros, Santa Madre de Dios, para que seamos dignos de las promesas de Cristo. Amen.

RECEMOS

¡Oh Dios! Cuyo Hijo unigénito, por su vida, muerte y resurrección, nos ha comprado la recompensa de la vida eterna; concédenos que, meditando estos misterios del Santísimo Rosario de la Santísima Virgen María, imitemos lo que contienen y obtengamos lo que prometen. Por el mismo Cristo nuestro Señor. Amén.

Que la asistencia divina permanezca siempre con nosotros. Amén. Y que las almas de los fieles difuntos, por la misericordia de Dios, descansen en paz. Amén. Virgen Santa, con tu Hijo amado, tu bendición nos da este día (*noche*).

Memorare

Acordaos, oh piadosísima Virgen María!, que jamás se ha oído decir que ninguno de los que han acudido a vuestra protección, implorando tu auxilio, haya sido desamparado. Animado por esta confianza, a Vos acudo, Madre, Virgen de la vírgenes, y gimiendo bajo el peso de mis pecados me atrevo a comparecer ante Vos. Madre de Dios, no desechéis mis súplicas, antes bien, escuchadlas y acogedlas benignamente. Amén.

Oración de San Miguel

O San Miguel, Arcangel defiéndenos en la batalla. Se nuestra proteccion contra el mal y las trampas del Diablo; humildemente te rogamos que Dios los reprenda. O Principe Celestial de la Santa Hostia, que con la ayuda de Dios eches a Satanas al infierno y a los espiritus que vagan por el mundo para arruinar las almas. Amén.

Señal de la Cruz

En el nombre del Padre, del Hijo y del Espíritu Santo, Amén.

SABADO

Los Misterios Gozosos

CÓMO REZAR EL ROSARIO

La imagen de la página siguiente, y los pasos de abajo le mostrarán cómo rezar el Rosario y los pasos en un juego de cuentas de rosario*. Estos pasos son sólo un resumen. Se presentan en orden y con más detalle para cada uno de los 54 días que siguen en la Novena del Rosario a Nuestra Señora. Las oraciones individuales también están escritas para usted en las páginas siguientes para la Novena del Rosario a Nuestra Señora.

Nota: La imagen del rosario que muestra estos pasos en las cuentas del rosario fue usada con permiso de la Fundación del Rosario en www.erosary.com

PASOS PARA REZAR EL ROSARIO

1. Haga la Señal de Cruz y rece el Credo del Apóstol.

2. Rece un Padre Nuestro.

3. Rece tres Ave María.

4. Recé un Gloria a Dios.

5. Recé una Oración de Fátima.

6. Anuncie el Primer Misterio y rece un Padre Nuestro.

7. Rece diez Ave María consecutivas; medite el Primer Misterio mientras reza.

8. Rece un Gloria a Dios.

9. Rece una Oración de Fátima.

10. Repita los pasos 7, 8 y 9 para el Segundo, Tercer, Cuarto y Quinto Misterio del Rosario.

11. Rece un Salve.

12. Haga la Señal de la Cruz

How to PRAY THE ROSARY

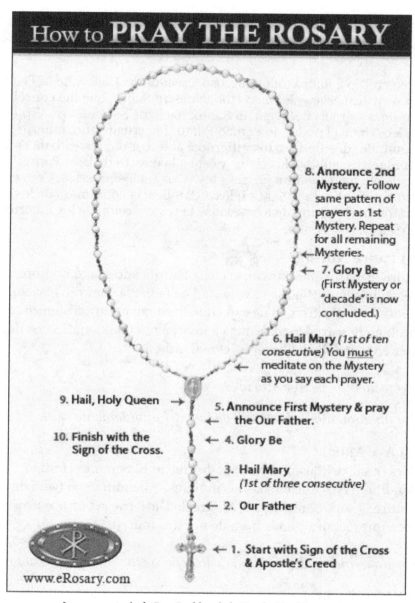

8. **Announce 2nd Mystery.** Follow same pattern of prayers as 1st Mystery. Repeat for all remaining ←Mysteries.

← 7. **Glory Be** (First Mystery or "decade" is now concluded.)

6. **Hail Mary** *(1st of ten consecutive)* You <u>must</u> ← meditate on the Mystery as you say each prayer.

9. **Hail, Holy Queen** →

5. **Announce First Mystery & pray** ← the Our Father.

10. **Finish with the Sign of the Cross.**

← 4. **Glory Be**

← 3. **Hail Mary** *(1st of three consecutive)*

← 2. **Our Father**

← 1. **Start with Sign of the Cross & Apostle's Creed**

www.eRosary.com

Imagen cortesía de Dan Rudden de la Fundación del Rosario.

El Santísimo Rosario

El Credo del Apóstol

Creo en Dios, Padre todopoderoso, creador del Cielo y de la Tierra. Creo en Jesucristo su único Hijo, Nuestro Señor, que fue concebido por obra y gracia del Espíritu Santo; nació de Santa María Virgen; padeció bajo el poder de Poncio Pilato; fue crucificado, muerto y sepultado; descendió a los infiernos; al tercer día resucitó de entre los muertos; subió a los cielos y está a la diestra de Dios Padre; desde allí ha de venir a juzgar a los vivos y a los muertos. Creo en el Espíritu Santo, en la Santa Iglesia Católica, la comumión de los Santos en el perdon de los pecados la resurrección de los muertos y la vida eterna. Amen.

(1) Padre Nuestro

Padre nuestro, que estás en el cielo. Santificado sea tu nombre. Venga tu reino. Hágase tu voluntad en la tierra como en el cielo. Danos hoy nuestro pan de cada día. Perdona nuestras ofensas, como también nosotros perdonamos a los que nos ofenden. No nos dejes caer en tentación y líbranos del mal. Amen.

Las 3 cuentas de Ave María

Por un aumento de la virtud de la fe... humildemente rezo:

(1) Ave María

Dios te salve, María. Llena eres de gracia: El Señor es contigo. Bendita tú eres entre todas las mujeres. Y bendito es el fruto de tu vientre: Jesús. Santa María, Madre de Dios, ruega por nosotros pecadores, ahora y en la hora de nuestra muerte. Amen.

Por un aumento de la virtud de la esperanza... humildemente rezo:

(1) Ave María

Dios te salve, María. Llena eres de gracia: El Señor es contigo. Bendita tú eres entre todas las mujeres. Y bendito es el fruto de tu vientre: Jesús. Santa María, Madre de Dios, ruega por nosotros pecadores, ahora y en la hora de nuestra muerte. Amen.

Por un aumento de la virtud de la caridad... humildemente rezo:

(1) Ave María
Dios te salve, María. Llena eres de gracia: El Señor es contigo. Bendita tú eres entre todas las mujeres. Y bendito es el fruto de tu vientre: Jesús. Santa María, Madre de Dios, ruega por nosotros pecadores, ahora y en la hora de nuestra muerte. Amen.

(1) Gloria a Dios
Gloria al Padre, al Hijo y al Espíritu Santo. Como era en el principio, ahora y siempre, por los siglos de los siglos. Amen.

(1) Oh, Jesús mío
Oh mi Jesús, perdónanos nuestros pecados, líbranos del fuego del infierno, lleva todas las almas al cielo, especialmente las mas necesitadas de tu misericordia. Amen.

LA ANUNCIACIÓN

Dulce Madre María, meditando sobre el Misterio de la Anunciación, del cual leemos en Lucas 1:26-38 y Juan 1:14. Cuando el ángel Gabriel se te apareció con la noticia de que ibas a ser la Madre de Dios, te saludó con ese saludo sublime: "¡Salve, llena de gracia! ¡El Señor está contigo!", y te sometiste humildemente a la voluntad del Padre, respondiendo: "He aquí la esclava del Señor. Hágase en mí según tu palabra."

Meditando en el Misterio de la Anunciación y rezando por un aumento de la virtud de la humildad, humildemente rezo...

(1) Padre Nuestro

Padre nuestro, que estás en el cielo. Santificado sea tu nombre. Venga tu reino. Hágase tu voluntad en la tierra como en el cielo. Danos hoy nuestro pan de cada día. Perdona nuestras ofensas, como también nosotros perdonamos a los que nos ofenden. No nos dejes caer en tentación y líbranos del mal. Amen.

(10) Ave María

Dios te salve, María. Llena eres de gracia: El Señor es contigo. Bendita tú eres entre todas las mujeres. Y bendito es el fruto de tu vientre: Jesús. Santa María, Madre de Dios, ruega por nosotros pecadores, ahora y en la hora de nuestra muerte. Amen.

(1) Gloria a Dios

Gloria al Padre, al Hijo y al Espíritu Santo. Como era en el principio, ahora y siempre, por los siglos de los siglos. Amen.

(1) Oh, Jesús mío:

Oh mi Jesús, perdónanos nuestros pecados, líbranos del fuego del infierno, lleva todas las almas al cielo, especialmente las mas necesitadas de tu misericordia. Amen.

Ato estos brotes blancos como la nieve a una petición por la virtud

HUMILDAD

y humildemente pongo este ramo a tus pies.

LA VISITACIÓN

Dulce Madre María, meditando sobre el Misterio de la Visitación, del cual leemos en Lucas 1:39-56. Cuando, en tu visita a tu santa prima Isabel, te saludó con la profecía: "¡Bendita tú eres entre todas las mujeres, y bendito es el fruto de tu vientre!" Y tú respondiste con ese cántico de cánticos, el Magnificat.

Meditando en el Misterio de la Visitación y rezando por el aumento de la virtud de la caridad, humildemente rezo...

(1) Padre Nuestro

Padre nuestro, que estás en el cielo. Santificado sea tu nombre. Venga tu reino. Hágase tu voluntad en la tierra como en el cielo. Danos hoy nuestro pan de cada día. Perdona nuestras ofensas, como también nosotros perdonamos a los que nos ofenden. No nos dejes caer en tentación y líbranos del mal. Amen.

(10) Ave María

Dios te salve, María. Llena eres de gracia: El Señor es contigo. Bendita tú eres entre todas las mujeres. Y bendito es el fruto de tu vientre: Jesús. Santa María, Madre de Dios, ruega por nosotros pecadores, ahora y en la hora de nuestra muerte. Amen.

(1) Gloria a Dios

Gloria al Padre, al Hijo y al Espíritu Santo. Como era en el principio, ahora y siempre, por los siglos de los siglos. Amen.

(1) Oh, Jesús mío:

Oh mi Jesús, perdónanos nuestros pecados, líbranos del fuego del infierno, lleva todas las almas al cielo, especialmente las mas necesitadas de tu misericordia. Amen.

Ato estos brotes blancos como la nieve a una petición por la virtud

CARIDAD

y humildemente pongo este ramo a tus pies.

LA NATIVIDAD

Dulce Madre María, meditando sobre el Misterio de la Natividad de Nuestro Señor, del cual leemos en Mateo 1:18-25. Cuando se cumplió tu tiempo, engendraste, oh santa Virgen, al Redentor del mundo en un establo en Belén. Y los coros de ángeles llenaron los cielos con su exultante canto de alabanza: "Gloria a Dios en las alturas, y en la tierra paz a los hombres de buena voluntad."

Meditando en el Misterio de la Natividad y rezando por un aumento de la virtud del desprendimiento del mundo, humildemente rezo...

(1) Padre Nuestro

Padre nuestro, que estás en el cielo. Santificado sea tu nombre. Venga tu reino. Hágase tu voluntad en la tierra como en el cielo. Danos hoy nuestro pan de cada día. Perdona nuestras ofensas, como también nosotros perdonamos a los que nos ofenden. No nos dejes caer en tentación y líbranos del mal. Amen.

(10) Ave María

Dios te salve, María. Llena eres de gracia: El Señor es contigo. Bendita tú eres entre todas las mujeres. Y bendito es el fruto de tu vientre: Jesús. Santa María, Madre de Dios, ruega por nosotros pecadores, ahora y en la hora de nuestra muerte. Amen.

(1) Gloria a Dios

Gloria al Padre, al Hijo y al Espíritu Santo. Como era en el principio, ahora y siempre, por los siglos de los siglos. Amen.

(1) Oh, Jesús mío:

Oh mi Jesús, perdónanos nuestros pecados, líbranos del fuego del infierno, lleva todas las almas al cielo, especialmente las mas necesitadas de tu misericordia. Amen.

Ato estos brotes blancos como la nieve a una petición por la virtud

DESPRENDIMIENTO DEL MUNDO

y humildemente pongo este ramo a tus pies.

LA PRESENTACIÓN

Dulce Madre María, meditando en el Misterio de la Presentación, del cual leemos en Lucas 2:22-39; cuando, en obediencia a la Ley de Moisés, presentaste a tu Hijo en el Templo, donde el santo profeta Simeón, tomando al Niño en sus brazos, ofreció gracias a Dios por salvarlo para que mirara a su Salvador y predijo tus sufrimientos con las palabras: "Tu alma también será traspasada por una espada..."

Meditando el Misterio de la Presentación del Señor, y orando por el aumento de la virtud de la pureza, humildemente rezo...

(1) Padre Nuestro

Padre nuestro, que estás en el cielo. Santificado sea tu nombre. Venga tu reino. Hágase tu voluntad en la tierra como en el cielo. Danos hoy nuestro pan de cada día. Perdona nuestras ofensas, como también nosotros perdonamos a los que nos ofenden. No nos dejes caer en tentación y líbranos del mal. Amen.

(10) Ave María

Dios te salve, María. Llena eres de gracia: El Señor es contigo. Bendita tú eres entre todas las mujeres. Y bendito es el fruto de tu vientre: Jesús. Santa María, Madre de Dios, ruega por nosotros pecadores, ahora y en la hora de nuestra muerte. Amen.

(1) Gloria a Dios

Gloria al Padre, al Hijo y al Espíritu Santo. Como era en el principio, ahora y siempre, por los siglos de los siglos. Amen.

(1) Oh, Jesús mío:

Oh mi Jesús, perdónanos nuestros pecados, líbranos del fuego del infierno, lleva todas las almas al cielo, especialmente las mas necesitadas de tu misericordia. Amen.

Ato estos brotes blancos como la nieve a una petición por la virtud

PUREZA

y humildemente pongo este ramo a tus pies.

EL HALLAZGO DEL NIÑO JESÚS EN EL TEMPLO

Dulce Madre María, meditando sobre el Misterio del Hallazgo del Niño Jesús en el Templo, del cual leemos en Lucas 2:41-51. Cuando, después de haberle buscado durante tres días, afligido, tu corazón se alegró al encontrarlo en el Templo hablando con los doctores. Y cuando, a petición tuya, volvió obedientemente a casa contigo.

Meditando en el misterio del Hallazgo del niño Jesús en el Templo, y orando por un aumento de la virtud de la obediencia a la voluntad de Dios, humildemente rezo...

(1) Padre Nuestro

Padre nuestro, que estás en el cielo. Santificado sea tu nombre. Venga tu reino. Hágase tu voluntad en la tierra como en el cielo. Danos hoy nuestro pan de cada día. Perdona nuestras ofensas, como también nosotros perdonamos a los que nos ofenden. No nos dejes caer en tentación y líbranos del mal. Amen.

(10) Ave María

Dios te salve, María. Llena eres de gracia: El Señor es contigo. Bendita tú eres entre todas las mujeres. Y bendito es el fruto de tu vientre: Jesús. Santa María, Madre de Dios, ruega por nosotros pecadores, ahora y en la hora de nuestra muerte. Amen.

(1) Gloria a Dios

Gloria al Padre, al Hijo y al Espíritu Santo. Como era en el principio, ahora y siempre, por los siglos de los siglos. Amen.

(1) Oh, Jesús mío:

Oh mi Jesús, perdónanos nuestros pecados, líbranos del fuego del infierno, lleva todas las almas al cielo, especialmente las mas necesitadas de tu misericordia. Amen.

Ato estos brotes blancos como la nieve a una petición por la virtud

OBEDIENCIA A LA VOLUNTAD DE DIOS

y humildemente pongo este ramo a tus pies.

COMUNIÓN ESPIRITUAL

MI JESÚS, realmente presente en el Santísimo Sacramento del Altar, ya que ahora no puedo recibirte bajo el velo sacramental, te suplico, con un corazón lleno de amor y anhelo, que vengas espiritualmente a mi alma a través del inmaculado corazón de tu Santísima Madre, y permanezcas conmigo para siempre; Tú en mí, y yo en Ti, en el tiempo y en la eternidad, en María. Amén.

Salve Santa Reina

Dios te salve, Reina y Madre de misericordia, vida, dulzura y esperanza nuestra, Dios te salve. A ti clamamos los desterrados hijos de Eva. A ti suspiramos gimiendo y llorando en este valle de lágrimas. Ea, pues, Señora, abogada nuestra: vuelve a nosotros esos tus ojos misericordiosos. Y después de este destierro, muéstranos a Jesús, fruto bendito de tu vientre. Oh clemente, oh piadosa, oh dulce Virgen María. Ruega por nosotros, Santa Madre de Dios, para que seamos dignos de las promesas de Cristo. Amen.

RECEMOS

¡Oh Dios! Cuyo Hijo unigénito, por su vida, muerte y resurrección, nos ha comprado la recompensa de la vida eterna; concédenos que, meditando estos misterios del Santísimo Rosario de la Santísima Virgen María, imitemos lo que contienen y obtengamos lo que prometen. Por el mismo Cristo nuestro Señor. Amén.

Que la asistencia divina permanezca siempre con nosotros. Amén. Y que las almas de los fieles difuntos, por la misericordia de Dios, descansen en paz. Amén. Virgen Santa, con tu Hijo amado, tu bendición nos da este día (*noche*).

Memorare

Acordaos, oh piadosísima Virgen María!, que jamás se ha oído decir que ninguno de los que han acudido a vuestra protección, implorando tu auxilio, haya sido desamparado. Animado por esta confianza, a Vos acudo, Madre, Virgen de la vírgenes, y gimiendo bajo el peso de mis pecados me atrevo a comparecer ante Vos. Madre de Dios, no desechéis mis súplicas, antes bien, escuchadlas y acogedlas benignamente. Amén.

Oración de San Miguel

O San Miguel, Arcangel defiéndenos en la batalla. Se nuestra proteccion contra el mal y las trampas del Diablo; humildemente te rogamos que Dios los reprenda. O Principe Celestial de la Santa Hostia, que con la ayuda de Dios eches a Satanas al infierno y a los espiritus que vagan por el mundo para arruinar las almas. Amén.

Señal de la Cruz

En el nombre del Padre, del Hijo y del Espíritu Santo, Amén.

UNA HISTORIA SOBRE EL ROSARIO DE:

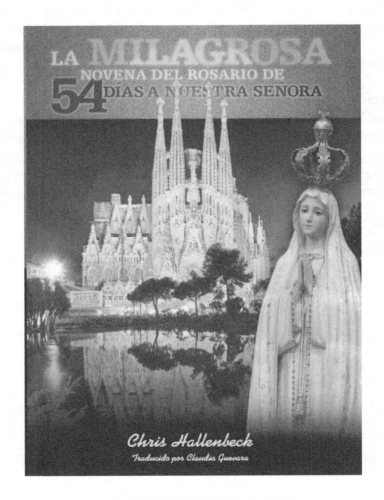

Nota: En obediencia al decreto del Papa Urbano VIII (1623-1644) y de otros Sumos Pontífices, el autor ruega declarar que, con respecto a lo que aquí se narra, no se reivindica autoridad superior a la que se debe a todo testimonio humano auténtico.

UNA INSPIRADORA HISTORIA SOBRE LA NOVENA DEL ROSARIO DE GLOVERSVILLE, NY
Por: Christopher Hallenbeck

Hay momentos especiales en nuestras vidas en los que tanto usted como yo le damos la bienvenida a Cristo en nuestras rutinas diarias. Algunas de estas rutinas podrían ser pequeños actos aleatorios de bondad o demostraciones de caridad que trata de practicar habitualmente. Otras veces podrían ser eventos especiales importantes o hitos en su vida. Los eventos que probablemente le vienen a la mente inmediatamente son los momentos en que usted ha recibido uno de los siete sacramentos; en este momento podría estar recordando su primera comunión, recibiendo el sacramento de la confirmación, confesándose durante los tiempos de Cuaresma y Adviento, o tal vez esté recordando el día en el que se casó con su esposa o esposo.

Los sacramentos son fáciles de recordar porque, según el Catecismo de la Iglesia Católica, "Sentados a la diestra del Padre" y derramando el Espíritu Santo sobre su Cuerpo que es la Iglesia... los sacramentos son signos eficaces, valiosos y exitosos de la gracia, instituidos por Cristo y confiados a la Iglesia, por los cuales se nos dispensa la vida divina... los sacramentos fortalecen la fe y la expresan (CIC 1084, 1131,1133)[1].

La historia que estoy a punto de compartir no es un recuerdo de un momento específico en el que recibí un sacramento en particular. En cambio, es la historia de cómo me presentaron la Novena del Rosario de 54 días, y las bendiciones que ha traído a mi vida, a la vida de mi familia, y las bendiciones que puede traer a su vida también. Esta historia está en preparación desde hace cinco años, y no fue hasta hace muy poco que empecé a compartirla. Era muy privado. No quería que nadie más supiera lo que había descubierto o lo que estaba haciendo, y tampoco había mucha historia que compartir en ese momento.

Nunca en mis sueños más descabellados imaginé lo que llegaría a mi vida y a la vida de mi familia cinco años después. Todo esto gracias a Dios. La inspiradora historia sobre la Novena del Rosario de 54 días a Nuestra Señora en Gloversville, NY es una historia sobre un tiempo especial que involucra oración, un sacramento y una fe fortalecida. Espero que disfrute la lectura.

Durante la Navidad de 2010, no sabía qué regalarle a mi abuela. Ella tenía 91 años en ese momento, y había sido una católica devota toda su vida. Normalmente le compraba su caramelo favorito, el caramelo de chocolate y nuez llamado Tortugas, para Navidad. Sin embargo, los dientes de la abuela se estaban volviendo frágiles y mi mamá me sugirió que pensara en algo más para darle. Así que, tuve una lluvia de ideas con la esperanza de encontrar el regalo de Navidad perfecto para mi abuela. ¡Entonces la bombilla se encendió! Pensé en el regalo de Navidad perfecto para ella.

Le compraré a mi abuela un nuevo juego de rosarios. Nunca antes le había comprado un juego de rosarios. Siempre rezaba el Rosario, además de ser un regalo reflexivo, creativo y significativo. ¡Fue perfecto! Busqué en Internet y vi estas hermosas cuentas azules de Rosario que contenían una imagen de la Medalla Milagrosa en ellas, y ordené un juego. Cuando llegaron, eran mucho más amables en persona que las fotos que vi en la red, y mi curiosidad entró en acción: ¿qué significaba cada cuenta??

Aprendí a rezar el Rosario en el colegio, pero eso fue hace mucho tiempo. Así que ordené otro juego de las mismas cuentas de rosario para mí, y cuando llegaron, busqué en Google cómo rezar el rosario. Leí todo lo que pude encontrar sobre el Rosario. Después de hacerlo, hubo tres cosas que me llamaron la atención en ese momento, y aún hoy me siguen acompañando.

Lo primero que me llamó la atención fue que descubrí la Novena del Rosario de 54 días, también conocida como la Novena Milagrosa del Rosario de 54 días. Si se está preguntando por qué se llama Novena del Rosario de 54 Días, aquí está la historia detrás de por qué rezamos este Rosario exactamente durante 54 días, y cómo fue introducido a la Iglesia:

La historia de la Iglesia nos enseña que en 1884 una aparición de Nuestra Señora de Pompeya ocurrió dentro de la casa del

Comandante Agrelli, un oficial militar italiano en Nápoles, Italia. Durante trece meses, Fortuna Agrelli, la hija del Comandante, estuvo muy, muy enferma. Ella había estado en gran angustia, experimentando terribles sufrimientos, calambres tortuosos, e incluso estuvo cerca de la muerte. Su enfermedad era tan grave que su caso había sido abandonado por los médicos más célebres de la época.

Desesperados, el 16 de febrero de 1884, la niña afligida y su familia comenzaron una novena de rosarios. La Reina del Santo Rosario la favoreció con una aparición el 3 de marzo. María, sentada en un trono alto, rodeada de figuras luminosas, sostenía al Niño divino en su regazo, y en su mano un Rosario. La Virgen Madre y el Santo Niño llevaban vestiduras bordadas en oro. Estaban acompañados por Santo Domingo y Santa Catalina de Siena. El trono estaba profusamente decorado con flores; la belleza de Nuestra Señora era maravillosa. María miró a la enferma con ternura materna, y la paciente Fortuna saludó a María con estas palabras:

> *"Reina del Santo Rosario, ten piedad de mí, ¡devuélveme la salud! Ya te he rezado en una novena, oh María, pero aún no he experimentado tu ayuda. ¡Estoy tan ansiosa por ser curada!"*

> *"Niña -respondió la Santísima Virgen-, me has invocado por varios títulos y siempre has obtenido favores de mí. Ahora bien, como me has llamado por ese título tan grato, 'Reina del Santo Rosario', no puedo rechazar el favor que me pides; porque este nombre es muy precioso y querido para mí. Reza tres novenas, y lo obtendrás todo."*

Una vez más la Reina del Santo Rosario se le apareció y le dijo,

> *"Quien desee obtener favores de mí debe rezar tres novenas de las oraciones del Rosario, y tres novenas de agradecimiento."*

Obedeciendo la invitación de Nuestra Señora, Fortuna y su familia completaron las seis novenas con lo cual la joven Fortuna fue restaurada a una salud perfecta y su familia fue bañada con muchas bendiciones.

A través de ella, Nuestra Señora dio al mundo la milagrosa devoción de la Novena del Rosario de 54 días.[2]

Según el Convento Benedictino de Adoración Perpetua de Clyde, Missouri, este milagro del Rosario impresionó profundamente al Papa León XIII, y contribuyó en gran medida al hecho de que en tantas cartas circulares exhortara a todos los cristianos a amar el Rosario y a rezarlo con fervor.[2]

Pero, ¿cuál es la razón por la que hay que rezar el Rosario por 54 días exactamente?

Los primeros griegos tenían una afición por el pensamiento abstracto, y pensaban que los números eran la clave de todo el conocimiento. El primero que lo pensó todo fue Pitágoras.[3]

Pitágoras fue la primera persona en calcular los hermosos sonidos de las armonías, y cómo las notas sonadas por los acordes hacen tonos armónicos si las notas de los acordes están todas interrelacionadas en proporciones numéricas simples. Este es un conocimiento estándar de la teoría musical que todavía utilizamos hoy en día. Pitágoras también inventó el Teorema de Pitágoras. En caso de que no lo recuerde de la escuela primaria, el cuadrado de la hipotenusa de un triángulo recto es igual a la suma de los cuadrados de los otros dos lados. Pitágoras también les dio a los números un significado religioso. De alguna manera pudo descubrir que las cosas no se medían sólo por un número, sino que de alguna manera también eran causadas por el número, y Pitágoras también enseñó que se podía ver la mente de Dios trabajando al observar las maneras en que los números funcionan.[3]

Muchos años después de que Pitágoras enseñara que los números tenían un significado religioso, San Agustín dio muchas conferencias sobre el Evangelio de San Juan, capítulo 21, versos 1-14. Durante estas conferencias San Agustín explicaría el significado y la importancia del simbolismo de los 153 peces que fueron capturados en el Mar de Tiberíades cuando Jesús les dijo a los apóstoles que echaran sus redes a la derecha de la barca. La captura de 153 peces es un número muy específico. Esto es importante porque "Él (Jesús) no dijo nada parecido la última vez que dirigió su pesca (Lc 5,4); ya les había dicho que quería que fueran pescadores de hombres (Mt 4,19), y describió el Juicio Final en términos de llevar a las criaturas a su derecha (Mt 25,31-46). Así que los peces en Juan 21 se refieren a la gente, y San Agustín dijo: 'el número significa miles, y miles... para ser admitidos en el Reino de los Cielos.'"[3]

La razón que él da es porque hay 10 Mandamientos que hay que seguir para llegar al Cielo. Sin embargo, nadie guarda los Mandamientos por su propio poder. Necesitamos ayuda, todos necesitamos la gracia de Dios. La gracia de Dios viene en términos de los siete dones del Espíritu Santo.

San Agustín nos enseña que hay necesidad del Espíritu para que se cumpla la Ley. Entonces sume 10 + 7. ¿Qué es lo que obtiene?... 17.

Según San Agustín, sin embargo, no se puede tomar esto como una suma global. Es necesario dar cuenta de cada detalle incluido en los siete dones del Espíritu Santo y también de los Diez Mandamientos y todas sus implicaciones, así que cuando sume todos los números del 1 al 17, adivina qué número obtiene... ¡153!

Este cálculo según San Agustín fue la razón por la que San Juan fue tan específico sobre el número de 153 peces capturados; ¡permite derivar un principio general de salvación de un detalle específico! Esto es importante porque ayuda a enseñarnos por qué rezamos la Novena del Rosario de 54 Días. Cada número en la Biblia tiene un significado tradicional que data de la época de Pitágoras, y contiene un valor simbólico definido en la actualidad.

El número 3 representa todo lo que es perfecto. En el pensamiento hebreo, griego y cristiano, la tercera unidad, une las mitades de 2. ¡Reconcilia cualquier tensión implícita, llevando las cosas a su fin, a su término, a la perfección! Por ejemplo, la verdad de que el Espíritu Santo "procede del Padre y del Hijo", completa la Trinidad. Cuando tiene tres de cualquier cosa, tiene todo lo que hay, o al menos suficiente. Es por eso que en la Misa decimos "Santo, Santo, Santo..." tres veces Santo es tan Santo como puede serlo cualquier cosa. Lleva las cosas a su fin, a su conclusión, ¡a la perfección![3]

Durante la aparición de 1884, la Madre Bendita dijo a Fortuna:

"Quien desee obtener favores de mí debe rezar tres novenas de las oraciones del Rosario, y tres novenas de agradecimiento."

Una novena es un período de oración católica romana que dura nueve días consecutivos.[4]

El número 9 es importante porque cuando multiplica 3 veces 3, la respuesta es 9. Por lo tanto, 9 es un símbolo de perfección multiplicado por perfección.[4]

Cuando Nuestra Señora le dice por primera vez a Fortuna que rece 3 novenas de las oraciones, le está diciendo que rece durante 9 días consecutivos 3 veces, por lo tanto, está rezando durante 27 días en petición de su favor.

Después de rezar durante 27 días en petición, Nuestra Señora instruye a Fortuna para que rece 3 novenas más en acción de gracias. Por lo tanto, le está diciendo a Fortuna que rece en acción de gracias por 9 días consecutivos 3 veces, o 27 días más en agradecimiento.

Cuando usted agrega las 3 novenas en petición (27 días en total), más tres novenas adicionales en agradecimiento por su favor (27 días más), así es como usted consigue y por qué reza por exactamente 54 días en total durante la Novena del Rosario Milagroso de 54 Días.

En 1926, el autor Charles V. Lacey escribió que la Novena del Rosario de 54 días es "una novena laboriosa, pero una novena de amor". A usted que es sincero no le resultará demasiado difícil, si realmente desea obtener su petición. Si no obtiene el favor que busca, tenga por seguro que la Reina del Rosario, que sabe lo que más necesita cada uno, ha escuchado su oración. No habrá rezado en vano. Ninguna oración ha pasado desapercibida. Y nunca se ha sabido que la Virgen haya fracasado. Mirad cada Ave María como una rosa rara y hermosa que ponéis a los pies de María. Estas rosas espirituales, atadas en una corona con Comuniones Espirituales, serán un regalo muy agradable y aceptable para ella, y traerán sobre usted gracias especiales. Si quiere llegar a lo más recóndito de su corazón, adorne su corona con diamantes espirituales y santas comuniones. Entonces su alegría no tendrá límites y le abrirá de par en par el canal de sus gracias más selectas."[2]

Después de leer acerca de la Novena del Rosario de 54 días, decidí que esto era lo que necesitaba para ayudarme a aprender el Rosario. El calendario diario me ayudaría a seguir aprendiendo y rezando el Rosario todos los días, y también me gustó mucho la historia del milagro que ocurrió en la familia Agrelli en 1884.

Verán, en noviembre de 2010, mi familia también necesitaba un milagro en ese momento, y sentí que rezar la novena del Rosario de 54 días era la mejor manera de ayudarlos. Después de todo, la Milagrosa Novena del Rosario ayudó a la familia Agrelli en su tiempo de necesidad en 1884, y me pregunté, ¿podría ayudar a mi familia también en 2010?

Cuando leí por primera vez acerca de la Novena del Rosario de 54 días, mi hermano y su esposa habían estado tratando de tener un bebé por unos 18 meses. Me dije: "¡Esto es perfecto! Diré una Novena del Rosario de 54 días para que Mike y Diana tengan un bebé, y conseguiré un escapulario para que mis oraciones sean lo más efectivas posible."

El 1 de diciembre de 2010, comencé a rezar la Novena del Rosario de 54 días.

También pedí para mí un escapulario marrón en esa misma oportunidad. El poder del Rosario y el Escapulario Marrón trabajando juntos fue la segunda cosa que descubrí que me llamó la atención mientras leía y volvía a aprender sobre el Rosario.

Cuando llegó mi escapulario, dentro había una breve nota explicando la historia del Escapulario Marrón y también recomendando que las personas que lo usen por primera vez, deberían llevarlo a bendecir. Llamé a la rectoría de mi parroquia al día siguiente y hablé con el Padre Don Czelusniak.

Le expliqué que acababa de recibir un nuevo escapulario y le pregunté si podía bendecirlo para mí. El Padre Don dijo: "No puedo hacerlo esta semana, pero el Padre Rendell sí". Así que llamé al Padre Rendell Torres, y me dijo que me reuniera con él en la rectoría a las 9 de la mañana del 6 de enero de 2011. Era el primer jueves del mes.

Recuerdo este día específicamente, porque después de que el Padre Rendell bendijo mi escapulario, me dijo que pasara por la Iglesia más tarde para asistir a la Adoración al Santísimo Sacramento que tienen todos los jueves, y que esas oraciones ante el Santísimo Sacramento eran muy poderosas.
Eso era todo lo que necesitaba oír.

En ese momento nunca había visitado a la Adoración al Santísimo Sacramento, pero cuando el Padre Rendell dijo que esas oraciones eran muy poderosas, supe que necesitaba pasar después del trabajo para rezar mi rosario diario ante el Santísimo Sacramento.

Más tarde ese mismo día, hice exactamente eso. Después de salir del trabajo, regresé a la Iglesia del Espíritu Santo en Gloversville para atender a la Adoración al Santísimo Sacramento. Recuerdo específicamente que mientras caminaba por la iglesia, mi Escapulario recién bendecido se sentía vivo con el Espíritu Santo mientras entraba por las puertas principales. Me arrodillé y recé el Rosario ante el Santísimo Sacramento, continuando con mi Novena del Rosario de 54 días.

En los meses siguientes me esforzaría al máximo por rezar mi rosario diario el primer jueves de cada mes, delante del Santísimo Sacramento.

54 días después, terminé mi primera Novena del Rosario de 54 días. Mi hermano y su esposa todavía no concebían un bebé. Pensé que lo había hecho mal de alguna manera.

Al día siguiente comencé a rezar otra Novena del Rosario de 54 días, en el mismo formato, asistiendo a la Adoración al Santísimo Sacramento todos los primeros jueves de cada mes, y nuevamente rezando para que mi hermano y su esposa tuvieran un bebé.

54 días después, terminé mi segunda novena del Rosario de 54 días. Y una vez más, mi hermano y su esposa aún no concebían.

Al día siguiente, 109 días después de que empecé a rezar el Rosario, comencé una tercera Novena del Rosario de 54 días, una vez más con el mismo formato: presentarme ante el Santísimo Sacramento cada primer jueves, y rezar por mi hermano y su esposa para que pudiesen tener un bebé.

54 días después, terminé mi tercera novena del Rosario de 54 días. Y una vez más, mi hermano y su esposa aún no lo conseguían.

Después de 162 días de rezar el Rosario, me cansé de rezar la Novena del Rosario de 54 días, y necesitaba un descanso. Pero lo que no dejé de hacer fue visitar el Santísimo Sacramento el primer jueves de cada mes.

En agosto de 2011, a mi abuela le diagnosticaron cáncer. La semana después de su diagnóstico, fue el primer jueves del mes de agosto, así que acudí a la Adoración al Santísimo Sacramento. No esperaba un milagro, pero recé para que mi abuela tuviera el menor dolor posible y no tuviera que sufrir. A la semana siguiente falleció. Fue un jueves. Pude visitarla el martes anterior. Fue una visita normal, triste ya que creo que ambos sabíamos que nuestro tiempo juntos en la Tierra se acercaba al final, pero fue una buena visita. Hablamos como si fuera cualquier otro día, y disfrutamos de la compañía del otro por última vez. Hice planes para ir a verla al día siguiente, pero cuando la llamé me dijo que estaba cansada y que sólo necesitaba dormir. Murió al día siguiente, en su casa, y hasta donde yo sé, no sufrió, y tuvo la menor cantidad de dolor posible.

Fueron experiencias como éstas, y otras, las que me llevaron a creer en las capacidades y en la verdadera presencia del Señor en la Eucaristía en la Adoración del Santísimo Sacramento, y también en la liturgia de la Misa Católica. En la liturgia de la Misa católica expresamos nuestra fe en la presencia real de Cristo bajo las especies de pan y vino, entre otras cosas, haciendo una profunda genuflexión o inclinación como signo de adoración al Señor (CIC 1378)[1].

Eventualmente también aprendí y empecé a comprender que, a través del Rosario y la Adoración, obtendría todo lo que pedía, PERO sólo si era compatible con la voluntad del Señor, y si era para el mejor beneficio de mi alma o del alma de la persona por la que estaba orando.

Aprendí también que tal como dice en Eclesiastés Capítulo 3, Versículo 1:

"Hay un tiempo señalado para todo, y hay un tiempo para cada evento bajo el cielo." [5]

Incluyendo la hora de nacimiento.

El 10 de diciembre de 2012, mi hermano Mike y su esposa Diana dieron la bienvenida a su nueva hija, Lucy. Nació exactamente 739 días después de que yo comenzara mi primera Novena del Rosario de 54 días, pidiéndole a la Madre Bendita que rezara conmigo para pedirle a Dios que bendijera a mi hermano y a su esposa con un bebé.

Todas esas oraciones del Rosario, y las oraciones anteriores durante mi asistencia a la Adoración del Santísimo Sacramento, no fueron en vano. Realmente hubo una verdadera presencia del Señor en la Eucaristía. Finalmente, aprendí que las oraciones del Rosario eran compatibles con la voluntad del Señor, y Lucy realmente es para el mejor beneficio del alma de mi hermano Mike y también del alma de su esposa Diana. Realmente hay un tiempo designado para todo, y realmente hay un tiempo para cada evento bajo el cielo.

Alrededor de un año y medio después, durante las vacaciones de primavera del 2014, yo estaba en Gloversville, y Mike, Diana y Lucy estaban de vacaciones juntos en Myrtle Beach, Carolina del Sur. Mi hermano me envió un mensaje de texto con fotos. Era una foto de ellos tres, Lucy llevaba una camisa rosa que decía: "Voy a ser una hermana mayor".

Un par de meses después, estaba en el Magic Kernel en Johnstown, NY, y recibí otro mensaje de texto con imágenes de mi hermano. Estaban en el consultorio del médico. La foto que me envió era una foto de ultrasonido, que contenía las palabras "Bebé A" y "Bebé B". Mike y Diana estaban esperando gemelos, Lucy iba a tener dos hermanos menores, a más tardar en diciembre de 2014.

Alrededor de 18 meses antes de recibir este anuncio de Mike y Diana, la Fiesta del Corpus Christi se celebró el 2 de junio de 2013. En este día la Iglesia celebra la institución de la Eucaristía. Este día también celebra el comienzo de la Adoración Eucarística Perpetua por el Decanato del Condado de Fulton-Montgomery en la Iglesia del Espíritu Santo en Gloversville, NY. Según el Catecismo de la Iglesia Católica, como Cristo mismo está presente en el sacramento del altar, debe ser honrado con el culto de adoración. "Visitar el Santísimo Sacramento es... una prueba de gratitud, una expresión de amor y un deber de adoración hacia Cristo nuestro Señor." (CIC 1418)[1].

Cuando Mike y Diana anunciaron que estaban esperando de nuevo, yo ya había sido una de los voluntarios que ayuda a asegurar que la Adoración al Santísimo Sacramento esté expuesta las 24 horas del día, los 7 días de la semana, en la Iglesia, y que haya una Adoratriz allí cada hora del día. La única vez que la Adoración Eucarística Perpetua no ocurre en la Iglesia durante la semana es cuando se celebra la Misa, o cuando hay un funeral.

El 16 de septiembre de 2014, recibí una llamada telefónica de mi hermano Kolin alrededor de las 5:30 de la tarde. Mike y Diana iban de camino al hospital; ¡Diana acababa de romper fuente y la estaban llevando rápidamente al Centro Médico de Albany!

Inmediatamente después de escuchar esto, fui a la iglesia, asistí a la Adoración y recé un Rosario por Mike, Diana y los gemelos, pidiéndole a la Madre Bendita que rezara conmigo para que todo estuviera bien ese día para mi hermano, su esposa y los gemelos. Unas horas más tarde, recibí una llamada de mi mamá diciendo que uno de los gemelos estaba en camino, y tuvieron que llevar a Diana a cirugía.

Una vez más volví a la Adoración esa noche y recé otro Rosario. Ya había otro adorador allí, no sabía quién era en ese momento, pero más tarde supe que se llamaba Gregg Wilbur. Antes de empezar a rezar otro Rosario por Mike, Diana y los gemelos, le dije a Gregg que tenía una emergencia familiar y que mi teléfono podría sonar mientras estaba allí.

Estaba en la última cuenta de Ave María cuando mi hermano Kolin me escribió que los gemelos habían nacido, ambos sanos, y ambos respirando mayormente por sí mismos. Me volví hacia Gregg, que estaba sentado detrás de mí en la Adoración, y le conté lo que había pasado antes, y las noticias que acababa de recibir de Kolin. Gregg me dijo: "Dios mío, no te lo vas a creer, pero yo también tengo gemelos, ambos tienen 8 años."

Al día siguiente, el 17 de septiembre, comencé otra Novena del Rosario de 54 días pidiéndole a la Madre Bendita que rezara conmigo para que los gemelos volvieran a casa de la UCIN Albany Med, felices y saludables. 6 días después de que terminé esa Novena del Rosario de 54 días, y exactamente 60 días después de que nacieron, ¡Mike y Diana pudieron traer a Jackson y Finley Hallenbeck a casa!

Eventualmente, una vez que los gemelos estuvieron en casa y se establecieron, tuve la oportunidad de compartir toda esta historia con Diana; cómo le compré un Rosario a la abuela, luego uno para mí, y después rezando tres Novenas de Rosario de 54 días para que Mike y ella tuvieran un bebé.

Inmediatamente después de contarle toda esta historia, ella hizo la conexión de que ahora tiene tres hijos, sonriendo de oreja a oreja, lo primero que Diana me dijo en respuesta fue:

"Gracias por rezar solo tres."

Para terminar, tengo tres cosas que me gustaría que todos recordaran y aprendieran de esta historia.

1. El Padre Rendell tuvo razón en el 2011. Las oraciones ante el Santísimo Sacramento son muy poderosas. Y cuando oren, por favor recuerden que obtendrán lo que pidan si es compatible con la voluntad del Señor, y si es para el mejor beneficio de su alma o del alma de la persona por la que están orando. En términos de la Novena del Rosario de 54 días, ya sea que la intención de la oración haya sido recibida o no después de los primeros 27 días (3 Novenas), todavía debe rezar las 3 Novenas de oración del Rosario (27 días) en agradecimiento. Algunas veces sus oraciones pueden ser contestadas dentro de 27 o 54 días, otras veces pueden tomar 60 días o más, otras veces pueden tomar 739 días, o incluso más. No importa el tiempo que tome para que sus oraciones sean contestadas, por favor no olvide las capacidades y la verdadera presencia del Señor en la Eucaristía. A través del

Rosario y la Adoración, obtendrá todo lo que pida, PERO de nuevo sólo si es compatible con la voluntad del Señor, y si es para el mejor beneficio de su alma o del alma de la persona por la que está orando. Por último, como ya se ha dicho: "Hay un tiempo señalado para todo, y hay un tiempo para cada acontecimiento bajo el cielo". (ECC. 3:1).

2. El 21 de abril de 2015 se publicó en ewtnnews.com un artículo en el que se relataba la historia de un obispo nigeriano llamado Obispo Oliver que estuvo en su capilla el año pasado a finales de 2014. El Obispo estaba en su capilla rezando el Rosario antes de la Adoración al Santísimo Sacramento cuando de repente apareció Jesús. Al principio Jesús no dijo nada, pero extendió una espada al Obispo. El Obispo Oliver cogió la espada, y cuando fue a cogerla, la espada se convirtió en un rosario. Jesús entonces le dijo al Obispo Oliver:

> *"Boko Haram se ha ido. Boko Haram se ha ido. Boko Haram se ha ido."*

En 2009 había alrededor de 125.000 católicos en las diócesis del Obispo Oliver en Nigeria, sin embargo, después de una oleada de violencia por parte del grupo extremista islamista llamado Boko Haram, hoy en día, en 2015, sólo quedan entre 50.000 y 60.000 católicos. Era claro para el Obispo Oliver que lo que Jesús quiso decir cuando le dijo tres veces: "Boko Haram se ha ido", fue que con el poder del Rosario podríamos expulsar a Boko Haram.[6]

Por favor comparta esta historia de Nigeria con sus amigos, familiares y parroquias, y pídales que recen el Rosario con usted por esta petición de que Dios, Jesús y el Espíritu Santo ayuden a eliminar los peligros y la persecución de los cristianos demostrada por Boko Haram e ISIS. El Rosario que rezaba el Obispo Oliver, es el mismo que usted y yo podemos rezar también. Si es posible, recomiendo encarecidamente rezar el Rosario mientras asiste a la Adoración al Santísimo Sacramento. Al rezar el Rosario, asistiendo a la Misa para celebrar la Eucaristía y visitando la Adoración al Santísimo

Sacramento no sólo tendrá la oportunidad de cambiar su vida, sino que juntos, tanto usted como yo, junto con la ayuda de la Santísima Madre María, podemos ayudar a cambiar el mundo para que sea un mejor lugar para vivir.

3. Cuando usted comenzó a leer la inspiradora historia de la Novena del Rosario de 54 días de Gloversville, NY, le dije que había 3 cosas que aprendí que destacaron ante mí justo después de comprar mi primer juego de cuentas del Rosario.

    Lo primero que aprendí fue la Novena Milagrosa del Rosario de 54 días.
    La segunda cosa que aprendí fue el poder del Rosario y del Escapulario trabajando juntos.

    La tercera cosa que aprendí y que me llamó la atención, fue cuando leí el excelente libro de Saint Louis De Montfort, El Secreto del Rosario. Dentro de la portada de El Secreto del Rosario hay una cita de la Santísima Madre María a Santo Domingo, dice.

"Un día, a través del Rosario y el Escapulario,

salvaré al mundo". [7]

La historia de la Novena del Rosario de 54 Días de Gloversville, NY es una que quería compartir con usted para exhibir eventos en mi vida y en la de mi familia que retratan tiempos especiales que involucran oración, un sacramento y una fe fortalecida.

Hoy, ahora mismo, por favor haga de este momento un momento especial en su propia vida y comience a rezar la Novena del Rosario de 54 días. También si la oportunidad está presente, le animo encarecidamente a rezar el Rosario en compañía de la Adoración al Santísimo Sacramento.

La Beata Madre Teresa de Calcuta dijo una vez: "El tiempo que pase con Jesús en el Santísimo Sacramento es el mejor tiempo que pasará en la Tierra. Cada momento que pase con Jesús profundizará su unión con Él y hará que su alma sea eternamente más gloriosa y hermosa en el Cielo, y le ayudará a lograr la paz eterna en la Tierra."[8]

En 1884, cuando la Santísima Madre María nos dio la Novena del Rosario de 54 días, cambió la vida de la familia Agrelli en Nápoles, Italia, cuando fueron bendecidos con milagros para la curación de Fortuna. 130 años después cambió la vida de mi hermano y su esposa cuando fueron bendecidos con milagros durante el nacimiento de sus tres hijos.

Ahora es su momento de rezar la Milagrosa Novena del Rosario de 54 Días.

A través del rezo de la Novena del Rosario de 54 días, espero que el futuro traiga oración gozosa, felicidad a través de los sacramentos, una fe fortalecida y abundancia de bendiciones y milagros a vuestra vida.

Lo que las personas están diciendo sobre...

<u>La Milagrosa Novena del Rosario de 54 días a Nuestra Señora</u>

De amazon.com...

Condición perfecta.

"¡Esta es una muy buena herramienta para el Rosario!"
        -Christi J.
        Compra verificada
        Reseñado en los Estados Unidos
        19 de mayo de 2020

Fácil de entender para los principiantes.

"Muy claro y fácil de seguir, especialmente para quienes se les dificulta recordar todas las oraciones."
        -Marijane.
        Compra verificada
        Reseñado en los Estados Unidos
        3 de febrero de 2020

¡Una verdadera Novena milagrosa!

"Había oído sobre milagros de esta Novena, y después de tantas sugerencias, compré el libro. Como había escuchado, el día 28, que es el último día de la novena en que haces las oraciones de petición, obtuve una respuesta a lo que estaba rezando. El padre de mis hijas había estado fuera de sus vidas durante 4 años, sin pensión alimenticia, nada. Muchas lágrimas y desengaños. Y ese día llamó, dijo que quería arreglar las cosas. Pasó el día de Acción de Gracias con nosotros, ha estado ayudando financieramente y las llama todos los días. Si supieran la horrible historia de fondo sabrían lo enorme que es este milagro. ¡Nuestra Señora es tan buena con nosotros! Acabo de empezar una segunda ronda y no me veo parando ahí cuando hay tanta gente herida que necesita su intercesión. T"
        - Cliente de Amazon
        Compra Verificada
        Reseñado en los Estados Unidos
        4 de diciembre de 2019

Bellas oraciones.

"Me encanta las oraciones y el orden en que se presentan los misterios."

> *-Darleny*
> *Compra Verificada, amazon.co.uk*
> *Reseñado en el Reino Unido*
> *25 de septiembre de 2020*

Una gran experiencia de Rosario.

"El Rosario en su máxima expresión. Sientes el poder de nuestra Santísima Madre rezando por ti desde el principio hasta el final."

> *-Katrina Bell*
> *1 de Enero de 2021*

De goodreads.com...

"Este libro ha elevado enormemente mi vida de oración. Lo recomendaría a cualquier cristiano/católico que intente comenzar la Novena del Rosario. ¡Qué gran compra! Nunca había oído hablar de la Novena del Rosario hasta que Ascension Presents ¡habló de ella en su canal de YouTube! 54 días de un Rosario es difícil de superar. He integrado una rutina de oración y me han encantado los resultados. ¡Recomendaría esto a cualquiera que busque sumergirse más profundamente en la fe con Dios!"

> *-Samantha Thornberry*
> *Reseña de Goodreads.com*
> *24 de diciembre de 2019*

De goodreads.com (Versión Kindle –Novena del Rosario a Nuestra Señora)

"¡Me encanta este libro! Rezar el Rosario nunca fue uno de mis puntos fuertes. Sin embargo, actualmente estoy en mi segunda Novena del Rosario y me ha cambiado la vida. Recientemente he estado tratando de acercarme más a Dios y sumergirme profundamente en la literatura católica y cristiana, ha sido asombroso."

> *-Samantha Thornberry*
> *Reseña de Goodreads.com*
> *4 de diciembre de 2019*

Sobre el Autor

Christopher Hallenbeck es un Caballero de 4to Grado en la Asamblea de Saint René Goupil #1427, y un Hermano de 3er Grado en el Consejo de Caballeros de Colón #265 ubicados en Gloversville, NY. Chris ha sido 10 veces Caballero Mayor del Concilio 265, y también un Navegante Fiel de la Asamblea #1427. Durante el tiempo que sirvió como Gran Caballero, el Concilio 265 ganó muchos premios en reconocimiento a su servicio a la Iglesia Católica, a la comunidad, y también a la Orden.

Agradecimientos y Reconocimientos

Gracias a mamá, Mike, Kolin, Diana y Abbey. Olivia, Luciana, Connor, Jackson y Finley. Esther Gefroh, dueña del blogspot "Una mamá católica en Hawaii" por su permiso para usar su foto de la estatua de Nuestra Señora de Fátima. Dan Rudden, propietario y operador de la Fundación del Rosario, por su permiso para usar la imagen Cómo rezar el Rosario.

Gracias por rezar el Rosario.

Una pequeña petición, por favor lea*...

Tengo una pequeña petición. Si le gustó este libro, si le ayudó a aprender el Rosario, a rezarlo, o si fue bendecido. ¿Podría dejar una buena reseña en amazon.com por favor? ¡Gracias! "Juntos, promovamos el Rosario. Juntos, cambiemos el mundo." –Chris

NOTAS FINALES

1. Catechism of The Catholic Church. New York: Doubleday, 1994.

2. Lacey, Charles. Rosary Novenas To Our Lady. Woodland Hills: Benziger Brothers, 1926.

3. Johnson, Kevin Orlin. Why Do Catholics Do That?: A Guide to the Teachings and Practices of the Catholic Church. New York: Ballantine Books, 1994.

4. Sly, Randy. "Nine Days of Focused Prayer: What is a Novena?" www.catholic.org 14 May 2010

5. The New American Bible. Canada: World Catholic Press, 1987.

6. Holdren, Alan. "After vision of Christ, Nigerian bishop says rosary will bring down Boko Harem." www.ewtnnews.com 21 April 2015

7. Saint Louis De Monfort. The Secret of The Rosary. Charlotte: TAN, 1993.

8. "Eucharistic Adoration Quotes Blessed Mother Theresa of Calcutta" stfrancisadoration.org 30 May 2016.